D0387738

Elias Canetti

Helmut Göbel

Elias Canetti

rowohlts monographien
begründet von Kurt Kusenberg
herausgegeben von Wolfgang Müller
und Uwe Naumann

Elias Canetti

Dargestellt von Helmut Göbel

Rowohlt Taschenbuch Verlag

Umschlagvorderseite: Elias Canetti in München, Dezember 1984.
Foto von Isolde Ohlbaum
Umschlagrückseite: «Die Blendung». Zweite Ausgabe
von 1948 im Willi Weismann Verlag, München,
mit einem Umschlag von Walter Klose
Veza und Elias Canetti in Grinzing, Oktober 1937

Seite 3: Elias Canetti
Seite 7: Elias Canetti, um 1951

Originalausgabe
Veröffentlicht im Rowohlt Taschenbuch Verlag,
Reinbek bei Hamburg, Juli 2005
Copyright © 2005 by Rowohlt Verlag GmbH,
Reinbek bei Hamburg
Umschlaggestaltung any.way, Hamburg,
nach einem Entwurf von Ivar Bläsi
Redaktionsassistenz Katrin Finkemeier
Reihentypographie Daniel Sauthoff
Layout Gabriele Boekholt
Satz PE Proforma *und* Foundry Sans *PostScript,*
QuarkXPress 4.11
Gesamtherstellung Clausen & Bosse, Leck
Printed in Germany
ISBN 3 499 50585 1

INHALT

Starke Affekte

Sein Leben, in dem nichts, gar nichts geschehen ist. Er ist auf kein Abenteuer gezogen, er war in keinem Krieg. Er war nie im Gefängnis, er hat niemand getötet. Er hat kein Vermögen gewonnen und hat keines verspielt. Alles was er getan hat, war, daß er in diesem Jahrhundert gelebt hat. Aber das allein hat genügt, um seinem Leben – in der Empfindung und im Gedanken – eine Dimension zu geben.[1] Man könnte meinen, einer, der dies über sich schreibt, habe im 20. Jahrhundert nicht viel zu leiden gehabt, er sei ein Davongekommener. Gewiss, Canetti als Jude blieb die Erfahrung des Konzentrationslagers erspart, auch musste er nicht Soldat sein, wie er schreibt. Doch er hat sein Leben lang darunter gelitten, dass es fortgesetzt Kriege und Kriegstote gab – er wuchs auf während des Balkankriegs und musste in seinen letzten Jahren erneut verheerende kriegerische Auseinandersetzungen auf dem Balkan miterleben. Dass um ihn herum nächste geliebte Menschen und viele Verwandte so früh starben, hat ihn geprägt. Er hat den Holocaust überlebt, doch viele Juden, die ihm nahe standen, sind ermordet worden oder haben selbst ihre Nächsten verloren.

Den Fortschritt der Wissenschaft, die Atombombe hat Canetti als ein weiteres großes Übel aufgefasst, gleichwohl erkennt er menschenfreundliche Fortschritte der Wissenschaften. Eine *gespaltene Zukunft*[2] ist ihm daraus geworden. All das hat er, wie er schreibt, nicht nur mit den Gedanken, sondern auch mit den Empfindungen, ja häufig mit bebendem Zorn und Hass in sich aufgenommen wie nur wenig andere Schriftsteller im 20. Jahrhundert.

Es ist schließlich der Tod überhaupt, der ihn provoziert; sein Kampf richtet sich gegen den von Menschen zu leicht genommenen und millionenfach zu schnell akzeptierten Tod und gegen die damit verbundene Abwertung des menschlichen Lebens. Aus der konsequenten wachen Reflexion auf diese Tatsache hin setzt sich das Werk Canettis zusammen.

Weil ihm das Leben der höchste Wert ist, geht er dem nach, was Leben zerstört. In seine Zeugenschaft des vielfältigen Todes im 20. Jahrhundert geht ein Misstrauen gegenüber den Menschen ein – Menschen, denen er zuhört, die er beobachtet, die er bis in die Menschheitsgeschichte verfolgt und erforscht. Es gibt nichts, wovor er die Augen verschließt; Radikalität bestimmt so auch sein Werk.

Es sind vor allem die Facetten der Machtausübung, die Canetti interessieren. Das Fressen und Gefressenwerden. Die Macht und die Möglichkeit, sich der Macht zu entziehen. Sein Zauberwort für diesen Entzug heißt *Verwandlung*.

Den Wert der Mythen kann man dabei für Canetti gar nicht hoch genug einschätzen; *Mythos* ist ihm ein heiliges Wort; es ist eines der Worte, die sein großes Vertrauen in die Sprache begründen. Wortspiele, Neuschöpfungen und Synästhesien – etwa *Hintergründlichkeit*[3] oder *Fackel im Ohr*[4] – sind ihm bedeutend. In der Beobachtung der Menschen um ihn herum spielt die Sprache eine herausragende Rolle; auf die Stimme des Einzelnen kommt es ihm an. Als ein Kind des 20. Jahrhunderts ist er ein *Ohrenzeuge*[5].

Der Weg der Studien führt Canetti nicht wie Claude Lévi-Strauss zu den verschiedenen Stämmen Afrikas oder Ozeaniens. Auch setzt er sich nicht wie Verhaltensforscher geduldig ins Freie, um die Tiere zu beobachten. Sein Weg führt auf die Straßen der Städte und in die Cafés (hier studiert er seit Wiener Zeiten oben drein die vielen Zeitungen), und sein Weg führt zu den Büchern. Canetti war ein Büchermensch, ein «Alleleser»[6]. Bücher sind auch die einzigen Objekte, die er gesammelt hat. In der Züricher Zentralbibliothek wird die stolze Menge von etwa 18 500 Bänden von ihm aufbewahrt.

Aus seinen Fragestellungen und Ergebnissen will Canetti kein geschlossenes eigenes System konstruieren. Alle irgendwie auf Lebewesen – oder seine Werke – bezogenen Systeme der verschiedenen Wissenschaften sind ihm suspekt. Er formuliert deswegen eine Art Widerwillen gegen Systematisierungen überhaupt und stellvertretend dafür gegen Aristoteles im Besonderen.[7] Spät hält er für sich die Überzeugung fest: *Ganz sicher weiß ich, daß ich nur darum auf etwas gekommen bin (das glaube ich noch immer), weil ich den Begriffen wie einem Gottseibeiuns ausgewichen bin.*[8] Dafür ist Canetti für alle Erscheinungsweisen von Affekten aufmerksam; aus ihnen weiß er immer wieder wichtige Gedanken zu entwickeln.

Für ein Verständnis seines Lebens und dichterischen Werks hat Canetti selbst kräftig vorgearbeitet. Er hat seinem Leben in Aufzeichnungen und Gesprächen Bestand und in den autobiographischen Erzählungen – vier Bände an Lebensbeschreibungen – eine dichterische Form gegeben. Manche seiner für ihn wichtigsten Erlebnisse sind nur aus diesen Erzählungen bekannt.

Die frühen Jahre Canettis mit ihren vielen Umzügen und Gegensätzen und extremen Erlebnissen sind ein wichtiges Fundament für das spätere Werk. Auch sind in der Darstellung seiner Kindheit und Jugend bereits viele seiner späteren Ansichten zur Kunst enthalten. Deswegen soll das Augenmerk besonders auf den ersten achtzehn Jahren liegen. Schon die erste biographische Skizze, die es zu Elias Canetti gibt, weiß dies zu berücksichtigen. Sie ist wahrscheinlich von seiner ersten Frau Veza Canetti verfasst worden.[9] Sie schreibt: «Dieser bunten Jugend verdankt er alles: die tiefe Überzeugung, daß man mehrere Heimaten haben kann, ohne darum flach oder farblos zu werden, ja daß man sie haben soll; ein aktives Gefühl für den Wert j e d e s Menschen, das er sich auch in Zeiten ärgster Gehässigkeit gegen einzelne Menschengruppen zu bewahren verstand [...].»[10] Der Plural «Heimaten» hätte 1948 eine Sensation der Wortbildung in Deutschland sein müssen. Er ist heute noch eine Herausforderung.

Zu den Leitmotiven von Canettis Leben gehört schließlich ein Freiheitsdrang, der sich nicht nur in der Systemlosigkeit und der Distanz zu allen Ismen des 20. Jahrhunderts zeigt, sondern auch in der Verweigerung einer erkennbaren aktiven Mitgliedschaft in den Religionen des Judentums oder des Christentums. Bei Canetti regiert stets der Zweifel mit und im Geistigen ebenso eine Mobilität, die sich nicht gerne bindet.

Rustschuk, die bulgarische, die erste Heimat

Alles, was ich später erlebt habe, war in Rustschuk schon einmal gesche[*]*hen.*[11] So sieht Canetti auf seine ersten sechs Lebensjahre zurück. Beide Elternfamilien sind jüdischer Abstammung und kommen ursprünglich aus Spanien. Die Canettis waren in Cañete ansässig, einer kleinen, früher bedeutenderen Stadt zwischen Cuenca und Valencia, und sie hießen auch nach dieser Stadt «Canete». Als 1492 in Spanien die letzte arabische Festung Granada an die spanische Krone übergeben wurde und die Mohammedaner das Land verließen, wurden auch die Juden nicht mehr geduldet. Die Canetti'schen Vorfahren wurden in die Emigration getrieben. In den Niederlanden, in England und vor allem im türkischen Reich von Marokko bis zum Schwarzen Meer siedelten die spanischen Juden und waren, damals jedenfalls, gern gesehene Ärzte, Bankfachleute und Handwerker.[12]

Die Canettis fand man auf verschiedene Orte der heutigen Türkei verteilt, im heutigen Nordgriechenland und auf dem Balkan. Als angesehene Kaufleute wirken sie im 19. Jahrhundert u. a. in der orientalisch-türkischen Stadt Adrianopel (türkisch Edirne). Im frühen 19. Jahrhundert änderte ein Vorfahr den spanischen Namen «Canete» ins Italienische um und nannte sich von nun an «Canetti». Vielleicht wollte man sich auf diese Weise den vornehmen italienischen Kaufleuten angleichen. Aus Adrianopel kam Canettis Großvater um 1890 in die wichtige bulgarische Handelsstadt Rustschuk, in der er sich schnell ein kleines Imperium für Kolonialwaren errichtete mit Niederlassungen in anderen bulgarischen Städten. Zwei seiner Brüder wohnten bereits in Rustschuk und wirkten dort als angesehene Kaufleute.[13]

Hier trafen sich Handelsleute und Abenteurer aus vielen Regionen. Ein Vielvölkergemisch mit bulgarischer Mehrheit und einer Minderheit aus Rumänen, Türken, Griechen, Armeniern, Roma und Juden zeichnete die Buntheit der Stadt aus. Um die Jahrhundertwende hatte Rustschuk gut 30 000 Einwohner, von denen

Rustschuk, um 1916. Farbpostkarte

knapp 15 Prozent zu den Minderheiten gehörten. Die jüdische Welt von Rustschuk ist eine vor allem sprachlich vielfältige gewesen. Die Juden aus Spanien hatten ihr altes Spanisch des 15. Jahrhunderts mitgebracht, das seit der Vertreibung von 1492 ihre Gruppensprache geblieben war, in ihrem Gottesdienst wurde Hebräisch gesprochen. Um sich im Land und für die Geschäfte zu verständigen, musste man zusätzlich die jeweiligen Landessprachen, wenigstens Bulgarisch und Türkisch und ein wenig Rumänisch, beherrschen. Und aus den Ländern der oberen Donau kamen deutsch sprechende Schiffer und Kaufleute, mit denen man sich ebenfalls austauschen wollte. Ein guter jüdischer Kaufmann in Rustschuk musste also fünf bis sechs Sprachen sprechen können. Und in solcher Sprachbeherrschung vieler Erwachsener um ihn herum wird Elias Canetti aufwachsen.

Für die jüdischen Kinder ist die erste, die Muttersprache, Spaniolisch, die Umgangssprache außerhalb des Familien- und Synagogenbereichs Bulgarisch, in der Geschäftswelt und von Bediensteten hören sie einige der anderen Sprachen. Canetti wird im jüdischen Viertel aufwachsen, das gleich neben dem türkischen liegt. Von alledem sind dann seine ersten sechs Jahre erfüllt. Es ist ihm damit nicht zugleich in die Wiege gelegt worden, ein bedeutender deutschsprachiger Schriftsteller zu werden.

Rustschuk wird geprägt von der weiten Wasserfläche der Donau und den Uferhügeln, die in der Stadt die Straßen ansteigen lassen. Es ist eine wichtige bulgarische Handelsstadt vor allem wegen seiner günstigen Verkehrslage. Die neue bulgarische Hauptstadt Sofia gewinnt erst allmählich an Bedeutung, die alte Hauptstadt Plovdiv ist wegen des Balkangebirges schwer zu erreichen. Man kann sich von Rustschuk aus donauabwärts etwa auf Varna am Schwarzen Meer hin orientieren oder donauaufwärts – und da lockt das große und attraktive Zentrum des Habsburgerreichs Wien. Die k. u. k. Hauptstadt strahlt mit ihren Einrichtungen und kulturellen Leistungen weit auf den Balkan aus. Von Rustschuk aus mag man deswegen stets nach Wien geblickt haben. Für die Familie Canetti gilt dies erst recht, war doch bereits ein Großonkel von Elias Canetti Österreich als Generalkonsul besonders verbunden.[14] Elias Canettis Eltern bekamen ihre Schulbildung so auch in Wien. In dieser Zeit haben die beiden ihre Liebe für die deutsche Sprache und fürs Wiener Theater entwickelt, wovon sie dem Kind Elias später eminent viel weitergeben werden. «Wien» war auch Elias Canettis erstes deutsches Wort, das die Eltern ihm beigebracht und erklärt haben.[15]

Am 25. Juli 1905 (nach altem Kalender am 12. Juli) mittags um ein Uhr wurde Elias Jacques Canetti hier in Rustschuk in Bulgarien – heute Ruse oder Russe oder Rouse am rechten Donauufer, wie vor 100 Jahren die Grenze zu Rumänien – in der Gurkostraße 33 (heute Nummer 13) als erstes Kind der Eltern Mathilde Canetti geborene Arditti, und Jacques Eliesser Canetti geboren.[16]

Der Vater Jacques Canetti ist 23 Jahre alt; er wurde 1882 im damals türkischen Edirne, in Adrianopel, geboren. Er ist wie fast alle Männer in der Familie Kaufmann, allerdings nicht mit ganzem Herzen. Eigentlich wollten die Eltern von Elias als Theaterenthusiasten Schauspieler werden, was die Familien jedoch nicht zuließen.[17]

Die Familie der Mutter, die Ardittis, sind ebenfalls spaniolische Juden. Mathilde Arditti wurde 1885 in Rustschuk geboren, ist also bei der Geburt ihres Ältesten erst zwanzig Jahre alt. Auch die Ardittis sind vorwiegend Kaufleute und gehören zu den vor

Die Eltern am Tag
ihrer Hochzeit:
Jacques Eliesser
und Mathilde Canetti

nehmsten spaniolischen Familien von Bulgarien. Man blickt auf
die «deutschen» oder askenasischen Juden herab. Ein Klassenbe-
wusstsein der Mutter, zu den spaniolischen Juden zu gehören,
geht auch auf den Sohn über und in sein Werk ein. Elias Canetti
berichtet später, dass es e i n e Eigenschaft gewesen sei, die diese Familien geprägt habe und die besonders im Verhalten der Mutter
einen hohen Stellenwert gehabt habe: der Familienstolz. Dieser
Stolz wurde als ein spanisches Erbe verstanden und konserviert;
er setzt sich bei Elias freilich nicht in einem materiellen oder öko-
nomischen Sinn fest, wie er ihn in der Familie vorfindet; Stolz
geht bei ihm vielmehr als eine allgemeine Grundhaltung in Leben
und Werk ein. Aus Stolz etwa klagt er nicht, wenn er eine ihm
wichtige Person verloren hat. Für sich selbst leitet er später aus

Der dreijährige
Elias

dem Familienstolz der Mutter den Stolz auf menschliches Leben überhaupt ab. Dem Stolz der Mutter wird er später Michelangelos Künstlerstolz gegenüberstellen, Michelangelo wird für ihn der *Gott des Stolzes*[18].

Elias ist also das erste Kind, und er ist ein Sohn; beides verpflichtet in der spaniolischen Familie zur Übernahme von Familientraditionen. Obendrein ist auch sein Vorname doppelt aufgeladen und zieht besondere Verpflichtungen nach sich.[19]

DER NAME ELIAS

Der Erstgeborene erhält einen biblischen Prophetennamen, was ihn in die jüdische Tradition einbinden soll. «Elia» oder «Elijahu» hat für die frühe Geschichte der Juden eine wichtige Bedeutung. Er wird in vielfältiger Weise verehrt, weil er ein Wundertäter war und nicht starb, sondern mit einem feurigen Wagen in den Him

nel fuhr. Liest man diese und weitere Berichte über den Propheten Elias, so kommt man nicht darum herum, bereits in
der jüdischen Namengebung für einige der später entwickelten
Hauptanliegen Canettis mögliche «Aufträge», gleichsam Präfigu-
rationen, zu erkennen: «Nach seiner Himmelfahrt kämpft E.[lias]
zunächst mit dem Todesengel, sitzt dann im Himmel, schreibt die
Taten der Menschen auf […].»[20] Nun ist das Aufschreiben für
Schriftsteller überhaupt gültig. Doch der Kampf mit dem Todesengel wird in abgewandelter Form als Kampf gegen den Tod zu
einer fast religiösen Obsession von Elias Canetti werden. Über
diese Bedeutungsschichten seines Namens spricht er allerdings
nicht, sie fallen offensichtlich unter sein Namenstabu, das in einer
besonderen Situation entsteht.

Von einer älteren Cousine hört Canetti, dass Elias am Ende
seines Lebens mit einem feurigen Wagen in den Himmel fährt.
Entzückt und *begeistert*[21] berichtet er davon zu Hause und fragt
nach dem Zusammenhang dieser Geschichte. Er erhält daraufhin
von Mutter und Großvater die enttäuschende Antwort, dass diese Himmelfahrt nicht ihm bestimmt sei, sondern dem Propheten
Elias, der viel früher gelebt habe. *Ich glaube, in diesen frühen Jahren
haben mich wenige Dinge so tief getroffen […]. So ist es ein Name geworden, auf dem im Laufe meines ganzen Lebens eine Art von Tabu lag. Ich
habe mich nie von jemandem so nennen lassen. Ich habe den Namen im
Umgang nicht verwendet, habe aber trotzdem eine ganz starke Beziehung dazu.*[22]

Der Großvater väterlicherseits trägt bereits den Namen Elias.
Der älteste Enkel soll also in die Familientradition, am besten in
die Kaufmannstradition hineinwachsen. Handelsgeschäfte und
Reichtum zu erwerben war aber das Letzte, woran der spätere
Schriftsteller Elias Canetti gedacht hat. Mit seinem Namen wird
das Schreiben und der Kampf gegen den Tod herausgestellt; mit
der Familientradition das Geldverdienen; ein das Leben belasten-
der Grundkonflikt wird ihm damit bereits in die Wiege gelegt. Es
ist verständlich, dass diese Namensbelastung mit einem Namenstabu von ihm beantwortet wurde. Aber im Geheimen ist ihm der
Name Elias so wichtig, dass er ihn dauernd vor sich her sagt, etwa um aus ihm Kraft zu schöpfen gegen das Ansinnen, Geschäfts-
mann werden zu sollen.[23]

1909 wird Nissim, der nächste Bruder von Elias, geboren. Georg heißt dann der jüngste Bruder, er kommt 1911 auf die Welt. Die Eltern nennen ihn in ihrer Anglophilie nach dem englischen König George V. Das wiederum gefällt dem Großvater Elias gar nicht; es kommt wegen England zu einem Streit, der sich bald ausweiten wird.[24] Solche Auseinandersetzungen um Namen haben einen Grundstein gelegt zu der ungeheuer wichtigen Rolle, die Namen später auch im Leben und im Werk Canettis spielen.

Der Titel des ersten Bandes der autobiographischen Erzählungen deutet bereits auf das erste wichtige Ereignis und Thema; mit der *geretteten Zunge* wird nicht auf den Geschmackssinn angespielt, sondern buchstäblich auf die Zunge im Mund. Der Junge hat zufällig eine heimliche Liebesaffäre beobachtet; man droht ihm daraufhin, seine Zunge abzuschneiden, wenn er die Liebesleute verraten würde. Mit dieser Episode und mit dem wichtigen Satz, *Mein früheste Erinnerung ist in Rot getaucht*[25], beginnen die autobiographischen Erzählungen. Sie werden also mit der potenziellen Brutalität der Menschen, mit der Farbe des Bluts, eröffnet. Die zweite Bedeutung der «geretteten Zunge» ist die «gerettete Sprache». Das Sprechvermögen, das mit der erhaltenen Zunge naturgemäß verbunden ist. In England zur Zeit des Nationalsozialismus versteht Canetti sich dann als ein Bewahrer der deutschen Sprache, so wie seine Vorfahren die Retter des alten Spanisch waren. Eine erste Grundlegung für die später entwickelte fast mythisch-religiöse Qualität von Wort und Sprache mag in dieser frühesten Erinnerung und in ihrer späteren schriftlichen Darstellung mit angelegt sein.

Die orientalische Welt von Rustschuk wirkt auf das Kind Elias nicht nur durch die Atmosphäre der gesamten Stadt, sondern vor allem durch die Menschen in den Häusern der Familien Canetti und Arditti. Der wichtigste Spielkamerad in der frühen Kindheit ist die Cousine Laurica. Sie ist zwar einige Jahre älter als er, eine lange Zeit hindurch sind die beiden dennoch unzertrennlich. Der Altersunterschied wirkt sich zunächst nur darin aus, dass sie etwa auf ihn aufpassen muss und gelegentlich einen Wissensvorsprung hat – etwas weiß, was für ihn wichtig wird, wie die Geschichte mit Elias und dem feurigen Wagen. Das ändert sich von dem Augenblick an, als sie in die Schule kommt und lesen und schreiben lernt.

Es setzt eine böse Ereignisfolge ein, die das Kind für sein Leben geprägt hat. Zunächst bestimmt Eifersucht ihr Verhältnis; er würde auch gerne zur Schule gehen. Sie zeigt ihm ihre Hefte und was sie geschrieben hat. Es sind die Buchstaben, schreibt Canetti rückblickend, die ihn mehr *faszinieren als alles, was ich je gesehen habe* [26]. Ein wichtiges Initialerlebnis für die geschriebene Sprache muss dies ja für Canetti gewesen sein; zusammen mit der Zeitung des Vaters beginnt hier die Schriftwelt auf ihn zu wirken, die ihn sein Leben lang nicht mehr loslassen wird. Seine Eifersucht nimmt aber noch bedrohliche Formen an. Immer weniger lässt Laurica Elias an ihre Schulhefte, immer mehr sehnt er sich danach. Schließlich gibt es eine Szene, in der sie ihn mit ihren Heften schrecklich neckt. Er weiß sich nicht anders zu helfen, als mit einer Axt auf sie loszugehen. Er will sie ermorden. Er kommt mit Geschrei auf sie zu; die Cousine schreit ebenfalls entsetzlich und läuft um ihr Leben. Der Großvater eilt herbei und nimmt ihm die Axt weg. Der Familienrat beschließt eine für ihn deutliche Strafe. Erst in späteren Zusammenhängen berichtet Canetti, dass ihn der Großvater verprügelt habe. Er ist noch in der Rückschau nach mehr als sechzig Jahren entsetzt darüber, was bereits in einem Kind an Mordgelüsten stecken kann. Er leitet für sich daraus ein Tötungsverbot ab, das später einen bedeutenden Stellenwert einnehmen wird. [27]

Die Cousine nimmt eine böse Rache. Sie stößt ihn kurze Zeit später in einen Heißwasserkessel, in dem er am ganzen Körper mit Ausnahme des Kopfes verbrüht. Tante Sophie kommt ihm zu Hilfe und zieht ihm die Kleider vom Leib, mit ihnen einen Teil der Haut. Elias liegt nun eine Zeit lang sterbenskrank im Bett und muss fürchterliche Schmerzen gehabt haben. Doch schlimmer, so erzählt er, sei es ihm gewesen, dass ausgerechnet in diesen Wochen der geliebte Vater nicht zu Hause war, sondern weit weg in England weilte, um den Umzug der Familie nach Manchester vorzubereiten. Der dann gerade noch rechtzeitig zurückkehrende Vater kann Elias offenbar das Leben retten.

Canetti beschreibt diese Szene später mit Worten und Formeln einer «heiligen Schrift»: *Dann hörte ich seine Stimme, er trat von hinten an mich heran, ich lag auf dem Bauch, er rief leise meinen Namen, er ging ums Bett herum, ich sah ihn, er legte mir leicht die Hand aufs Haar, er war es, und ich hatte keine Schmerzen.*

Alles was von diesem Augenblick an geschah, ist mir nur aus Erzählungen bekannt. Die Wunde verwandelte sich in ein Wunder, die Heilung setzte ein, er versprach, nicht mehr fortzugehen. [...] Der Arzt war der Überzeugung, daß ich ohne sein Erscheinen und seine Gegenwart gestorben wäre. [...] Es war der Arzt, der uns alle drei zur Welt gebracht hatte, und er pflegte später zu sagen, daß von allen Geburten, die er erlebt habe, diese Wiedergeburt die schwerste gewesen sei.[28] Elias' Name wird vom Vater nicht genannt oder gesprochen, sondern *leise gerufen*; dann folgt das Handauflegen, schließlich ein Wortspiel mit *Wunde* und *Wunder*, am Ende eine Auferweckung von den Toten eigener Art. Das alles sind Darstellungsmomente besonderer Stilisierung, und es ist der Kampf gegen den Tod, den der kleine Elias so früh erfährt. Es gibt wenig andere Szenen in Canettis autobiographischen Erzählungen, die stilistisch derart aufgeladen sind, um der erzählten Szene ihre so zentrale Bedeutung und dem Vater eine magische Fähigkeit, ja die Aura eines Heiligen zuzuschreiben. Sie weist auf den schweren Verlust voraus, den der frühe Tod des Vaters bedeutet und der Canettis Auflehnung gegen den Tod überhaupt begründen wird.

DIE DEUTSCHE SPRACHE

Elias Canettis Eltern entwickeln gelegentlich ihr eigenes Reich. Die Sprache, die sie untereinander sprechen, ist Deutsch. Damit grenzen sie sich gegen die Kinder ab, die diese Sprache als Geheimsprache der Eltern auffassen. Elias Canetti erzählt später, dass er auf die Sprache, die er nicht verstand, eifersüchtig war und durch Nachahmung der Sprachlaute versuchte, in diesen Sprachbezirk der Eltern einzudringen.[29] Das mag sein späteres Festhalten am Deutschen zusätzlich bestärken. Mehrmals fährt die Familie von Rustschuk in den Sommerurlaub. Es zieht die Eltern ganz offensichtlich ins Habsburger Reich, denn sie wählen als ihre Erholungsorte drei Sommer hintereinander den Wörthersee in Kärnten, Kronstadt – das heutige rumänische Brasov – und Karlsbad in Böhmen. Man kann dort mondänes und deutschsprachiges Leben schnuppern.

Canetti sieht in dem Dreieck dieser Städte so gut wie das gesamte Habsburgerreich umschlossen, das die Eltern damit für sich kennen lernen. Doch man muss stets zurück ins orientalische und provinzielle bulgarische Rustschuk. Mathilde und Jacques Canetti beschließen, nach England zu emigrieren, sie halten es in Rustschuk nicht mehr aus. In Manchester lebt der älteste Bruder der Mutter, Salomon Arditti; er hat dort ein Geschäft. Jacques Canetti wird bei ihm als Teilhaber einsteigen.

Sechs Jahre nur hat Elias Canetti in Rustschuk gelebt. Und dennoch wird es in der gesamten Kindheit und Jugend für ihn keinen Zeitraum von sechs Jahren mehr geben, in dem er an einem Ort bleiben kann. Man könnte sagen, dass auch deshalb hier in Bulgarien seine wichtige erste Heimat ist. Zweimal wird Canetti nach Rustschuk zurückkehren, beide Male von Wien aus und nur kurz zu Besuch, im Sommer 1915 mitten im Ersten Weltkrieg und im Herbst 1924 nach seinem ersten Studiensemester.

Insgesamt beginnt 1911 für Canetti ein ruheloses Leben, ein Leben, das für die unruhige Moderne und in Abhängigkeit von seinen schlimmsten Ereignissen in sehr vielen Phasen repräsentativ ist für das 20. Jahrhundert.

Mit einem besonderen Eklat endet das Leben in Rustschuk. Der Großvater Elias Canetti kann sich nicht damit abfinden, dass sein Sohn mit seinen Enkeln ihn verlassen will. Er sieht Mathilde Canetti – sie ist ja auch eine Arditti! – als die Rädelsführerin dieser Wegzugspläne und spricht mit ihr kein Wort mehr. Und Jacques Canetti, sein Sohn, bekommt die volle Wucht seines patriarchalen Zorns zu spüren. Vor allen Verwandten tut er ihm das Schlimmste an, was ein jüdischer Vater seinem Sohn antun kann: Feierlich verflucht er ihn.

Der Großvater Elias Canetti

19

England, die zweite Heimat

Nicht mit dem Segen des Familienoberhauptes, sondern mit dessen Verfluchung zieht die Familie von Jacques Canetti 1911 aus dem Bann der Großfamilie und des orientalischen Handels fort und siedelt sich im nordenglischen Handels- und Industriezentrum Manchester an. Die Gegensätze könnten nicht extremer sein vom quirligen bunten Orient in eines der modernsten Industriezentren der Welt des Westens. Canettis späterer Freund Franz Baermann Steiner wird in der Prägung durch diesen Gegensatz zwischen Orient und Okzident eine Besonderheit der Juden überhaupt ausmachen. Das berühmte Lied von Heinrich Heine mit «Fichtenbaum» und «Palme» sieht ebenso diesen Gegensatz – zu einer Art klagenden Standortbestimmung der Juden.[30]

Manchester bot sich aus mehreren Gründen als neuer Wohnort an. «Es ist eine Einwandererstadt, und eineinhalb Jahrhunderte lang sind die Einwanderer, wenn man einmal von den armen Irländern absieht, in der Hauptsache Deutsche und Juden gewesen [...]. Die Sephardim sind die wohlhabenderen unter den Juden.»[3] Die berühmte moderne Industrie- und Handelsstadt bot beste Aussichten für eigene Geschäfte, und den Kindern standen in der bevölkerungsreichen Stadt und ihrer weiteren Umgebung eine Fülle von verschiedenen guten Ausbildungsmöglichkeiten offen.

Von alledem ist in Canettis autobiographischer Erzählung über seine Zeit in Manchester nichts zu lesen und auch kaum etwas zu ahnen. Im bürgerlichen Herkunftshaus des Kindes, das Canetti in den entsprechenden Abschnitten nachzuzeichnen versucht, spielt die moderne Industriestadt offenbar – wenn überhaupt – eine untergeordnete Rolle. Canetti war auch kein Stadtkind, das mit anderen Kindern auf der Straße die Welt mehr und mehr erobern will. Für den fast Siebzigjährigen stehen andere Dinge und Ereignisse seines Lebens als Sechs- bis Achtjährige im Vordergrund.

Die Familie wohnt zuerst in der Burton Road. Nach englischer Gewohnheit kauft man ein Haus für die fünfköpfige Familie mi

Die Barlow Moor Road in Manchester, um 1910

Gouvernante und Stubenmädchen. Das Kinderzimmer liegt im ersten Stock; Elias teilt es mit seinen Geschwistern. In den Nachbarvierteln wohnen viele spaniolische Familien. Man unterhält mit einigen von ihnen ein sehr geselliges Leben.

Endlich darf Elias auch in die Schule gehen. Sein Schulweg ist nicht sehr lang, die Schule liegt in der Barlow Moor Road, einer langen Hauptverbindungsstraße, auf die die Burton Road mündet. In etwa verläuft der Fluss Mersey in paralleler Richtung zu der Hauptstraße des Viertels. Hier am Fluss spaziert der sechs- und siebenjährige Elias häufig, meistens mit Kinderfräulein und Kinderwagen, in dem sein jüngster Bruder Georg sitzt, sonntags auch mit dem Vater. An einer Wiese am Fluss lehrt ihn der Vater einige englische Wörter, voran das Wort «meadow» für «Wiese». *Er [der Vater] empfand dieses Wort als besonders schön, es ist für mich das schönste der englischen Sprache geblieben.* [32]

Das englische Kindermädchen und eine Gouvernante haben für die Kinder, besonders für den Ältesten, eine wichtige Funktion. Von dem englischen Mädchen bekommen die Jungs viel mit, was auch englische Kinder erfahren: Nursery Rhymes, englische Lieder, Erzählungen für Kinder; sie erlernen bzw. vervollkommnen das Englische im wörtlichen Sinn «spielend». Einige Grundlagen des Französischen bringt ihnen das andere Mädchen bei. So kann Elias bereits mit sieben Jahren mehrere Sprachen: Spaniolisch, Bulgarisch, Englisch und ein wenig Französisch. Schnell wird er das Bulgarische vergessen, dafür wird Deutsch seine wichtigste Sprache werden.

An die Schule, besonders an die Lehrerin, hat Elias Canetti die besten Erinnerungen. Wichtiger aber sind die Erinnerungen an das Mädchen Mary, das neben ihm sitzt. Wegen seiner Apfelbäckchen ist Elias vernarrt in diese Schulfreundin. Er nennt sie sein «sweetheart» und küsst sie täglich auf dem gemeinsamen Nachhauseweg. Es kommt deswegen bald zu einem kleinen Schulärger

Schnell lernt Elias Englisch lesen und schreiben. Das Wichtigste der zwei Manchesterjahre werden die Bücher, die er zu Hause liest. In einer regelrechten Zeremonie übergibt der Vater dem Schulanfänger eine Kinderausgabe von «Tausendundeine Nacht»; abends lässt sich der Vater dann berichten, was Elias am Tag gelesen habe. Immer wenn der Sohn ein Buch durchgelesen hat, bringt der Vater stets aus derselben englischen Klassikerreihe für Kinder ein neues: Canetti erinnert sich an Grimms Märchen, an «Robinson Crusoe», «Gullivers Reisen», Erzählungen zu Shakespeare, den «Don Quijote», Dante oder «Wilhelm Tell». Der Vater legt damit einen Grundstein für die lebenslange Bücherliebe, ja für ein magisches Verhältnis zu den Büchern und ihren Protagonisten. In Canettis Worten: *Es wäre leicht zu zeigen, daß fast alles, woraus ich später bestand, in diesen Büchern enthalten war, die ich dem Vater zuliebe im siebenten Jahr meines Lebens las. Von den Figuren, die mich später nie mehr losließen, fehlte nur Odysseus.*[33] Und der sumerische Gilgamesch, muss man ergänzen. Manche der vom Vater eingeführten Bücher las der Junge, so sagt er später, bis zu vierzigmal. Ob das nun stimmt oder nicht – schon jetzt verführen ihn die Bücher zu einer gewissen Unmäßigkeit des Lesens. Die Mutter setzt in den kommenden Jahren die Lektüreanregungen für Elias fort, zunächst mit Abenteuerbüchern wie Sven Hedins «Von Pol zu Pol», von denen der Junge wie viele Jungen lange schwärmt. Bald in Wien wird sie mit ihm, von ihrer alten Liebe zum Theater motiviert, Shakespeare auf Englisch und Schiller auf Deutsch lesen. Das ist nun ganz und gar ungewöhnlich für einen Jungen seines Alters und verbindet auch Mutter und Sohn aufs engste.[34]

DER TOD DES VATERS

In dieses, in der Perspektive Canettis friedliche und strebsame Kinderleben bricht ganz plötzlich das größte Unglück ein, das ihm die Fortsetzung seiner Kindheit raubt. Der Junge spielt im Kinderzimmer, und unten bricht der Vater tot zusammen; er stirbt unverhofft an einer Herzattacke. Er war ein sehr starker Raucher. Canetti erörtert in seinen autobiographischen Erzählungen mehrere Gründe für den plötzlichen Tod des Vaters. Eine Art Schock habe zum Tod geführt in dem Moment, in dem der Vater vom Ausbruch des Balkankrieges gelesen haben soll; dieser Zeitungslektüre voraus ging am Abend zuvor eine Szene zwischen Jacques und Mathilde Canetti. Sie war soeben von einem mehrwöchigen Kuraufenthalt in Süddeutschland zurückgekehrt und hatte ihrem Mann von einer Bekanntschaft erzählt, die sie dort gemacht habe. Jacques Canetti habe voller Eifersucht reagiert, habe zuerst auf sie eingeredet und sei dann verstummt. Die ganze Nacht und am Morgen habe er mit ihr nicht mehr gesprochen.[35] Der Vater war bei seinem Tod keine 31 Jahre alt.

Für den Sohn hat dieser frühe Verlust des heiß geliebten Vaters ungeheure Folgen, die zunächst in der Familie spürbar werden. Zur Rolle des ältesten Sohnes gehört es nun, Beschützer der Mutter zu sein. Und das ist offenbar nötig, denn die Mutter ist kurz davor, ihr Leben zu beenden.

Einen Monat nach dem Tod des Vaters findet in Manchester eine Gedenkfeier statt. Nachbarn nehmen daran teil und vor allem auch die Großeltern Canetti, die aus Rustschuk angereist sind. Der Großvater weint während der gesamten Zeremonie, weil er glaubt, er habe mit seinem Fluch den Tod seines Sohnes bewirkt.[36] Zudem wird immer wieder die heftige Auseinandersetzung zwischen Großvater und Mathilde Canetti von Elias beobachtet; gegenseitig werfen sie sich vor, am Tod des Vaters schuld zu sein.[37]

Der junge Elias wird bei dieser Gedenkfeier vom Großvater in einen alten jüdischen Brauch eingeführt. Jedes Jahr zum Todestag des Vaters solle er das Gedenkgebet, den Kaddisch der Waisen, sprechen und dies ja nicht vergessen. Das Gedenken an den Verstorbenen sei Aufgabe des ältesten Sohns. Der Großvater konnte nicht wissen, wie ernst sein Enkel dieses Gedenken nehmen und welche Konsequenzen er weiter aus dem frühen Tod des Vaters ziehen werde. Zunächst kann er den Tod des Vaters nicht verstehen, ja er will ihn nicht wahrhaben und wartet, dass der Vater wiederkomme. Für sein weiteres Leben entwickelt Elias Canetti aus diesem frühen Erlebnis die Feindschaft gegen den Tod überhaupt. Alle später angelesenen Auferstehungen sind ihm wichtig geworden, weil sie sich gegen den Tod richten. Sicher entsteht diese «Todfeindschaft» nicht sofort; sie hat sich allmählich gebildet. Der Auftrag, der im Namen «Elias» steckt, verbindet sich nun mit dieser Erfahrung des Todes.

> Es gibt nichts Schlechtes, was ich vom Menschen wie der Menschheit nicht zu sagen hätte. Und doch ist mein Stolz auf sie immer so groß, daß ich nur eines wirklich hasse: ihren Feind, den Tod.

Eine kurze Zeit bleibt die Familie noch in Manchester. Das eigene Haus wird verkauft, und die Canettis ziehen um in die Palatine Road, ins Haus des Bruders der Mutter. Eine Maßnahme gegen die zunächst desolate Finanzsituation. Für Elias wird es dort alles andere als gemütlich, denn er hasst diesen Onkel Salomon. Bis in seine Jugend wird er sich mit diesem Onkel auseinander setzen müssen, weil der den Geschäftserfolg vertritt und diesen von Elias auch erwartet. Mathilde Canetti hält es nun mit den Kindern nicht mehr in Manchester. Sie beschließt, nach Wien zu gehen. Man fährt über London und Paris in die Schweiz und hält sich dort erst einige Zeit auf.

Kurzaufenthalt in der Schweiz, der dritten Heimat

Von dem Verkauf des Hauses in Manchester und mehr noch von der Lebensversicherung, die der Vater abgeschlossen hatte, muss die Familie nun leben. Mathildes Bruder wird finanziell für sie da sein. Der Weg über die Schweiz nach Wien wird aus mehreren Gründen gewählt. Mathilde Canetti kann das Vermögen, das ihr für den Lebensunterhalt für sich und die drei Kinder zur Verfügung steht, in der Schweiz anlegen. Elias' Bruder Nissim würdigt später die Mutter auch in Bezug auf die finanziellen Probleme: «Sie war eine stolze Frau und hatte viel Mut und Zivilcourage. Mit der Würde einer wahren Patriarchin und einer selten zu findenden Diskretion handhabte sie die finanziellen Schwierigkeiten, die größer und größer wurden. Die Lebensversicherung meines Vaters, die in Schweizer Franken überschrieben wurde, erlaubte ihr, ihre drei Söhne nur um den Preis stiller Opfer großzuziehen.»[38] Elias Canetti sieht dies in einer seiner wenigen Äußerungen zur Finanzlage der Familie ein wenig anders: Die Mutter halte die Kinder wohl eher aus Prinzip knapp, *denn sie war, wie ich jetzt weiß, bestimmt nicht arm. Im Gegenteil, ihr Geld war bei ihrem Bruder gut angelegt, sein Unternehmen in Manchester florierte nach wie vor, er wurde immer reicher.*[39] Nur komme man nicht immer an das englische Geld heran, weswegen die Mutter auch dann und wann gewisse Opfer bringen müsse – wie zu den Zeiten, zu denen man kein Hausmädchen hatte und sie den Haushalt selbst besorgte. Das gilt vor allem für die Zeit des Ersten Weltkriegs. Es werden wohl beide Äußerungen der Brüder ihre Richtigkeit haben, nur relativiert die Darstellung von Elias Canetti die des Bruders, sicher auch um die spätere Auseinandersetzung mit der Mutter ums Geld in ein nicht zu schlechtes Licht geraten zu lassen.

Es geht nach Lausanne. Dort gibt es erneut Verwandte.

DEUTSCH ALS WAHRE MUTTERSPRACHE

Hier in Lausanne leben Ardittis. Sie können den Canettis aus Manchester zunächst beistehen. Von der Mietwohnung, in die die Familie für rund drei Monate zieht, sieht man auf die herrliche Parklandschaft des Genfer Sees. An der Uferpromenade gefällt es Elias besonders gut: *Es war alles sehr hell, es ging immer eine leichte Brise, ich liebte das Wasser, den Wind und die Segel. Warum bleiben wir nicht hier, hier ist es am schönsten?*[40] Aber nicht die herrliche Landschaft darf für ihn von Bedeutung sein, sondern eine besondere mehrwöchige Drangsal von ungeahnter Wirkung wird es. Die Mutter will, dass das Kind, wenn es in Wien in die dritte Klasse eingeschult wird, Deutsch kann. In nur wenigen Monaten des Sommeraufenthalts in Lausanne trichtert die Mutter nun in täglichen Unterrichtsstunden dem Achtjährigen eine weitere Fremdsprache ein. Ihre «Pädagogik», wenn man überhaupt so sagen will, ist sehr eigenwillig, anspruchsvoll und rücksichtslos. Die Mutter kauft eine deutsch-englische Grammatik, liest Elias daraus Sätze vor, die er nachzusprechen und die er sich, nachdem sie die Mutter übersetzt, zu merken hat. Wenn er sich einen Satz nicht merkt, verhöhnt sie ihn und verweist auf den verstorbenen Vater, der sehr gut deutsch gesprochen habe. Bald nennt sie ihn gar einen Idioten, den sie da als Kind großgezogen hätte. Das alles schmerzt den Jungen. Die aus Manchester mitgezogene Kinderfrau bewirkt bei der Mutter eine Änderung der Lehrmethode. Die bis dahin etwa einen Monat dauernde Deutschlernqual wird für die restliche Ferienzeit durch einen einfacheren Unterricht abgelöst. Und nun erlebt Elias auch noch ein wenig glücklichere Tage in Lausanne.

Sehr viel später findet er eine entschuldigende und verständnisvolle Erklärung für die barsche Methode seiner Mutter, mit der er auf die neue Phase seines Lebens hindeutet. Canetti begreift, dass es nicht nur um seinetwillen geschah, als sie ihm *deutsch unter Hohn und Qualen beibrachte. Sie selbst hatte ein tiefes Bedürfnis danach, mit mir deutsch zu sprechen, es war die Sprache ihres Vertrauens […] In dieser Sprache hatte sich ihre eigentliche Ehe abgespielt.*[41] Von nun an beginnt eine etwa zehnjährige symbiotische Periode für Elias und seine Mutter, die für beide recht paradox wirkt und die wie nicht anders zu erwarten, zu heftigen Auseinandersetzungen und auf beiden Seiten zu einer schmerzlichen und radikalen Trennung führen wird. Mit der Kenntnis der deutschen Sprache wird der Sohn also erst eigentlicher Stellvertreter des Vaters; er wacht weiter über die Mutter, jetzt freilich nicht mehr darüber, dass sie sich nicht das Leben nehmen, sondern dass sie sich nicht erneut verheiraten möge. Angesichts verschiedener Begegnungen mit Verwandten und Freunden in Lausanne muss sich Elias auch sogleich entsprechend anspruchsvoll und eifersüchtig geäußert haben.[42] Mit alledem ist für Canetti von nun an die deutsche Sprache aufgeladen.

Nach ihrem mehrmonatigen Aufenthalt in Lausanne macht sich die Familie auf nach Wien. Die Eisenbahnfahrt wird in Zürich unterbrochen. Innerhalb kurzer Zeit bereist der junge Canetti also die drei später für ihn so bedeutenden Städte London, Zürich und Wien.

Auf das Kind Elias hinterlässt die Fahrt in Zürich mit der Zahnradbahn auf den Zürichberg und dann der Blick von oben auf die Stadt und den See mit den Bergen am Horizont einen bleibenden Eindruck. Die Größe der Stadt erstaunte ihn, weil er noch nie so viele Häuser und Straßen gesehen habe. Dabei kommt er

Zürich mit den Flüssen Limmat und Sihl. Farbige Fotopostkarte, um 1930

doch gerade aus viel größeren Städten wie Manchester, London oder Paris. Aber so unterschiedlich gefiltert sind Erinnerungen und die Bilder, die ein Leben lang wirken. Noch im letzten Lebensjahrzehnt hat Elias Canetti seine Besucher in Zürich gelegentlich dort hochgeführt, um ihnen diesen freundlichen Anblick von Zürich zu verschaffen.

Für die nächsten drei Jahre richtet sich die Familie also nicht in der Schweiz, sondern in dem von der Mutter geliebten Wien ein. «Wien» war ja auch für Elias das erste deutsche Wort, das er aus den Gesprächen der Eltern in Rustschuk behalten hat. Die nun einsetzende Lernphase in Canettis Leben ist also von Anfang an mit der Mutter als Lehrerin besetzt.

Wien, die vierte Heimat

Die Canettis ziehen in den alten Stadtteil Leopoldstadt und dort in ein Viertel, das «der Schüttel» genannt wird und nicht weit vom Prater entfernt liegt. In der Josef-Gall-Gasse 5 mieten sie sich im zweiten Stock eines Hauses ein. Die kurze Gasse mündet in eine Uferstraße, die am Donaukanal entlangführt, was Erinnerungen an die Spaziergänge in Manchester aufkommen lassen mag – und natürlich an Rustschuk.

Die Sophienbrücke ist der nächste Weg über den Kanal in Richtung Innenstadt; gleich an der Brücke liegt auch die Grundschule, in die Elias nun gehen wird. Wichtiger aber ist die Leopoldstadt insgesamt, der traditionelle Wohnbezirk der Wiener Juden. In den Jahrzehnten der Herrschaft von Kaiser Franz Joseph I. sind aus dem Habsburgerreich Tausende Juden zugezogen; galt doch der Kaiser als ein judenfreundlicher Monarch.[43] Einmal beobachtet der kleine Elias einen Zuzug von galizischen Juden, was

Blick auf Leopoldstadt und die Untere Donaustraße, 1902

einen unheimlichen Eindruck auf ihn macht.[44] In dem Viertel hatte sich ein buntes Leben entwickelt. Zahlreiche alteingesessene vermögendere und sehr viele ziemlich arme Juden wohnten hier am Ende des 19. Jahrhunderts Seite an Seite, insgesamt gut fünfzigtausend Menschen. Das war knapp die Hälfte der Wiener Juden, und ihre Zahl stieg schnell an.

In der Geschichte Wiens gab es für die jüdische Bevölkerung ein ständiges Auf und Ab; seit dem Toleranzpatent Josephs II von 1782 konnten sich die Juden, wenn auch mit vielen einschränkenden Auflagen, endlich einigermaßen gefahrlos im Habsburgerreich aufhalten und waren in der Berufswahl freier.[45] Der Antijudaismus erhielt sich allerdings im katholischen Österreich und verstärkte sich von den letzten Jahrzehnten des 19. Jahrhunderts an zu dem dann für das 20. Jahrhundert sich so brutal auswirkenden Antisemitismus.

Der junge Canetti lernt den Antisemitismus bald in der Grundschule kennen. Auf dem Nachhauseweg mit seinem Klassenkameraden Paul Kornfeld werden sie mit «*Jüdelach!*»[46] beschimpft, womit der achtjährige Elias nichts anzufangen weiß. Weder in Rustschuk noch in Manchester hat er dergleichen erfahren. Von der Mutter bekommt er die stolze Erklärung: «*Das galt dem Kornfeld. Dir gilt das nicht.*» *Es war nicht etwa so, daß sie mich damit trösten wollte. Aber sie nahm das Schimpfwort nicht an. Wir waren für sie etwas Besseres, nämlich Spaniolen.*[47] Zugleich fordert die Mutter den Sohn auf, ritterlich zu sein und Kornfeld zu schützen. Der körperlich nicht sehr hoch gewachsene Elias ist zum Glück in keine Situation gekommen, in der er sich entsprechend hätte einsetzen müssen. Aber auf den Mund gefallen ist er ja nicht. Die Aufforderung der Mutter kommt seinem Hang zu Abenteuer- und Ritterbüchern entgegen. Erneut sind die Bücher auch seine Orientierung; er richtet sich in seinem Leseverständnis ganz nach der Mutter aus – auch in ihrer Literaturlehre ist diese sehr streng.

EINFÜHRUNG INS JUDENTUM

Neben der Ausbildung in der neuen Schule – er meistert eine Art Aufnahmeprüfung im Deutschen zur Überraschung seines Lehrers mit Bravour[48] – steht für den jungen Elias nun auch die Erziehung zum Juden auf dem Ausbildungsplan. In seiner ersten Heimat wurden selbstverständlich der Sabbat und die jüdischen Feiertage beachtet. Da mag Elias einige Grundlagen des jüdischen Lebens kindgemäß aufgenommen haben. Für eine kurze Zeitspanne hat er bereits in Manchester zusammen mit ein paar anderen Jungen – Mädchen waren nicht zugelassen – Religionsunterricht gehabt. Es wurden dabei die verschiedensten biblischen Geschichten erzählt, und er erfährt vom jüdischen Tabu des Schweinefleischessens. Er beachtet dieses Tabu für sich. Die Mutter durchbricht es allerdings bewusst, indem sie ihm Schweinefleisch vorsetzt. Er erfährt dann erst unmittelbar nach dem Essen, was ihm gerade so gut geschmeckt hat: Schweinefleisch. Das Tabu ist gebrochen. Und darum ging es der Mutter.[49]

In Wien ist Canetti in der Fortsetzung des Religionsunterrichts zwei verschiedenen Instanzen ausgesetzt: weiterhin der Mutter und nun auch dem Großvater, der häufig mit dem Schiff aus Rustschuk nach Wien kommt, um seinen Enkel in die Praxis der jüdischen Religion einzuführen. Immer wenn der Großvater in Wien ist, übernachtet Elias von Samstag auf Sonntag bei ihm im Hotel. Vom Großvater hört er auch die zu den bestimmten Zeiten und Festen vorgeschriebenen jüdischen Gebete; doch sie sagen ihm nicht viel, weil sie ohne Ernst nur eben so runtergeschnurrt werden.[50] Jeden Sonntag nach dem Frühstück bringt ihn der Großvater zur Talmud-Thora-Schule in der Novaragasse 27, damit Elias die biblischen Texte und Gebete hebräisch lesen lerne. Ihm gefällt es auf dieser Sonntagsschule nicht, der Unterricht dort kommt ihm sehr geistlos vor. Bei der Mutter beschwert er sich darüber. Im Gegensatz zum Großvater legt sie keinen Wert auf die Ausübung der jüdischen Religion. Wie in vielen gutbürgerlichen jüdischen Familien damals vertritt die Mutter eine Position, die noch weniger jüdische Traditionen bewahrt als die des Reformjudentums. Den Kaddisch solle er anständig lesen lernen, das sei das Wichtigste, hört er von ihr. Auch das jüdische Versöhnungsfest (Jom Kippur) habe eine gewisse Bedeutung. Sonst sei die Praxis der Religion nicht wichtig. Und ganz im Sinn der mütterlichen Assimilation geht Canetti in der autobiographischen Erzählung in einem Atemzug von den Problemen des Judentums zur Literatur über, besonders zur dramatischen Literatur Shakespeares und Schillers, die für die Mutter zähle. Erneut steht der junge Elias zwischen den Fronten der Tradition, wie der Großvater sie vertritt, und einer gemäßigten Moderne in der Position der Mutter. Doch es zerreißt ihn nicht. Elias fühlt sich in dieser Jugendzeit so sehr an die Mutter gebunden, dass sie für ihn im Konfliktfall die einzige Orientierungsinstanz bleibt.

So hat Elias schließlich nicht sehr viel von der jüdischen Religion mitbekommen. Nicht einmal die Bibel beginnt der sonst den Büchern verfallene Junge zu lesen. Es ist in diesem Zusammenhang auch kein Wunder, dass er erst über die Kunst Michelangelos zu den Propheten findet: *Nicht als Jude bin ich den Propheten begegnet, nicht in ihren Worten.*[51]

Sehr merkwürdig ist, dass Canetti für die Darstellung seiner Jugend- und Schulzeit später nie auf die Bar-Mizwa zu sprechen kommt, also auf die traditionelle Aufnahme der Jungen in die jüdische Gemeinde mit dreizehn Jahren. Offensichtlich hat sich die Mutter hier gegen den Großvater durchsetzen können. Doch dem Judentum kann man sich im 20. Jahrhundert nicht entziehen. Für die Zeit von 1919 und 1920 – Canetti ist vierzehn Jahre alt – berichtet er von erneuten antisemitischen Sticheleien, nun im Züricher Gymnasium, die er und weitere sechzehn jüdische Schüler seines Jahrgangs als quälend empfinden. Canetti versucht, über eine schriftliche Petition beim Rektor, die er für alle entwirft und abgibt, Besserung zu erreichen. Damit erfährt er bereits als Schüler am Ende des Ersten Weltkriegs in der Schweiz, was Juden später vor allem unter dem Nationalsozialismus erfahren: Ganz gleich, wie sie für sich selbst zum Judentum stehen, sie werden in den Augen ihrer Umwelt als Juden angesehen. Es scheint aber so, als ob solche Vorfälle Canetti erst recht Jude sein ließen.

Für sich entwickelt Canetti eine ganz eigene Religion, eine Religion der Verbote, die durchaus in einem inneren Zusammenhang mit den antisemitischen Vorfällen steht. In der Schule wird die Sache von der Schulleitung ohne Aufsehen gelöst, und sie bringt ihm die Ermahnung ein, er möge in der Klasse nicht ständig vorneweg streben, worüber sich die Mitschüler offenbar ärgerten. Es ist wohl seine Intelligenz, die andere beneiden. Auch das ist kein Einzelfall. Die Klasse zieht zum neuen Schuljahr um, und es tritt wieder Frieden ein, was Canetti so zusammenfasst: *In der nun folgenden Periode des Schanzenbergglücks, der Versöhnlichkeit und neu-*

rwachten Menschenliebe blieb zwar manches im Zweifel, doch der 'weifel – das war etwas Neues – richtete sich gegen mich selbst.[52] Das st nun wieder einmal besonders stilisiert: *Glück, Versöhnlichkeit* .nd *Menschenliebe* – die Reihung hat jedoch ihren Sinn, denn in iesen Formulierungen stecken die Hauptanliegen von Canettis *religion. Das beweist der folgende Abschnitt in der autobiografischen Erzählung.

Im Kapitel mit der Überschrift *Verbotsbereitschaft*[53] schreibt r scheinbar unvermittelt von verschiedenen Tabuerfahrungen .nd auch noch einmal von seiner Attacke gegen seine Cousine .ustschuk sowie der Reaktion des Großvaters. Auf das Tötungs- erbot, das er von dieser Situation ableitet, weil es mit den Dro- .ungen des Großvaters in ihm stets weiterwirkt, baut Canetti a der autobiographischen Darstellung nun seine Religion auf: *)as also war mein Sinai, das mein Verbot, so ist meine wahre Religion *us einem ganz bestimmten, persönlichen, nie wieder gutzumachenden *'reignis entstanden, das trotz des Mißlingens mir anhaftete [...]. Unter *er Herrschaft dieses Verbots bin ich aufgewachsen [...].*[54]

Die Vermittlung der antisemitischen Vorfälle und die Darstel- .ng seiner Religion aus dem Tötungsverbot liegt wohl in dem Vort *Versöhnlichkeit*; mit ihm ist der Bezug zum Fest der Versöh- .ung gegeben, das allein neben dem Kaddisch die Mutter dem .ohn zu bewahren auftrug. Aber er verändert auch dieses Fest a seinem Sinn; er nennt das folgende Schuljahr *Jahr der Versöh- .ung*[55]; aus dem punktuellen Feiertag ist ein längerer Zeitraum eworden.

Beim Sohn Elias Canetti findet keine Assimilation mit einer *nderen Kultur, bei ihm findet vielmehr eine Begegnung zweier .ulturen statt, die in ihm und in seinem Werk verschmelzen. Hier t wohl der Begriff der Akkulturation[56] angebracht.

Sein Judentum reflektiert Canetti in diversen Aufzeichnun- :n später immer wieder. Auf das alte spaniolische Judentum wird *r 1954 in Marokko stoßen und davon in den *Stimmen von Marra- *:sch* berichten.

1993, gegen Ende seines Lebens, bestimmt er dann in einer *intergründigen und paradox wirkenden Aufzeichnung sein Ju- *.entum. In alter Bekenntnistradition wird die Aufzeichnung mit *'h glaube* eingeleitet: *Ich glaube, es ist die eigentliche Berufung von*

*Juden, ihr Sinn, ihre Herkunft zu bekennen, sie nie zu verleugnen, wo
aber dem Glauben zu mißtrauen, der sie bis heute unter Pein bewah
hat.*[57]

Der erste Wienaufenthalt der Familie Canetti dauert nur drei Jal
re. Ein wenig erlebt Elias in dieser Zeit auch so etwas wie eine no
male Kindheit. Weiterhin sind die Bücher für ihn lebenswichti
Auf einer seiner imaginären Buchreisen in die Antike setzt er sic
mit einigen Helden- und Familiengeschichten auseinander. I
entdeckt nun auch Odysseus für sich. In ihm beginnt ein rege
rechtes Vorbild heranzureifen, das «sich in vielen Verwandlu
gen präsentierte», besonders in der Verwandlung in Niedere.[58] M
zwei Klassenkameraden freundet er sich an.

In die Wiener Schulzeit fällt ein weiteres wichtiges Ereigni
das für eine geraume Zeit Elias' Leben mitbestimmt. Es geht u
die Tabuisierung des Sexuellen. In der Schule hört er in Schülerr
den, dass es die Menschen genauso trieben wie der Hahn und di
Henne. Er ist erregt und empört und fragt bei der Mutter nach. Di
geht mit ihm wie immer in besonderen Situationen auf den Ba
kon, aus der Hörweite der kleinen Brüder. Die Mutter bestätig
ihm, dass der Mitschüler lüge. Was die Mutter sagt, ist wahr! For
an wirkt in geradezu perfekter Unheimlichkeit dieses «Balkor
Tabu»: Wenn andere Mitschüler von nun an mit Liebeswünsche
und Liebeserfahrungen prahlen, lässt Canetti das kalt. Und d
bleibt bis in seine Studienzeit so.

Die Auswirkungen des Ersten Weltkriegs vertreiben die C
nettis aus Wien. Bei Kriegsausbruch erlebt Elias die Begeisterun
der Bevölkerung. Weil er und seine Brüder die deutsche Kaise
hymne englisch mitsingen und dementsprechend dem engl
schen König Segen wünschen, beginnen einige aus der Menge ar
ihn einzuschlagen. Das Ereignis verstärkt, wie Canetti es in der E
innerung nennt, dass er *englisch gesinnt*[59] bleibt, was er aber nicl
mehr zeigt, auch in der Schule nicht, wo er sich nun mit Kriegsli
dern und Sprüchen zum Krieg abgeben muss. Diese ununterbr
chene Kriegspropaganda, die in Kriegschauvinismus übergeh
missfällt der Mutter. Das Wirtschaften für den Haushalt wird i
der Kriegsnot schwieriger. Mathilde Canetti wird noch dazu kran
und depressiv und bedarf dringend der Erholung. All das sir

Gründe für sie, Österreich zu verlassen. Sie lagert Möbel, Bücher und weiteren Besitz ein, Zeichen, dass man doch wiederkommen will. Die Familie zieht in die neutrale Schweiz. Die Ausreise ist nicht ganz einfach; es ist Kriegszeit. Ein Wiener Bekannter, Mathilde Canettis Arzt, hilft bei dieser Ausreise. Das passt dem Kind gar nicht. Eifersucht regt sich erneut bei Elias. Schon einmal hat es eine schreckliche Eifersuchtsszene gegeben.

Man fährt über Bad Reichenhall; die Spaziergänge dort behält Canetti in bester Erinnerung. Alles was die Mutter dabei äußert – etwa den Wunsch, dass sie auf dem Friedhof in Nonn, einem Dorf bei Bad Reichenhall, begraben werden wolle –, nimmt er in sich auf: *Aus den Sätzen, die sie mir in solchen Zeiten sagte, bin ich entstanden.*[60] Die Muttersprache ist nun auch in Muttersätzen in ihm präsent.

Zürich – Der beginnende Kampf um Selbständigkeit

Die Canettis sind nicht die Einzigen, die während des Ersten Weltkriegs die neutrale Schweiz aufsuchen. Viele türkische und bulgarische Spaniolen halten sich ebenfalls in der Schweiz und besonders in Zürich auf. Auch Mathilde Canettis Mutter, Elias' Großmutter Arditti, lebt inzwischen zusammen mit ihrer Tochter Ernestine in Zürich. Jeden Abend kommen sie zu Besuch. Ein Rest der jüdischen Familienbindung aus Rustschuk hat sich auch hier in der Fremde erhalten.

Elias' Welt bleibt vom Krieg beherrscht, man spricht in der Schule darüber; der älter werdende Schüler setzt gegen Kriegsende auf das Friedensengagement des amerikanischen Präsidenten Woodrow Wilson. Grundsätzlich folgt Canetti auch in seiner Einstellung zum Krieg ganz der Mutter: *Sie nannte den Krieg nie anders als «das Morden» [...]. Ihr Haß gegen den Krieg hatte etwas Elementares.*[61] Das überträgt sich selbstverständlich auf Elias, denn noch immer ist die Mutter diejenige, die die Normen setzt. In diesem Fall ist es ein kollektives Tötungsverbot, das sein individuelles Tötungsverbot aus der andauernden Wirkung des Laurica-Erlebnisses ergänzt.

In der Kriegszeit beginnt Canetti die «Freiheitsgeschichte» der Schweiz besonders zu schätzen. Er nimmt im Fach Geschichte das antike Griechenland durch – und verbindet von nun an beide Freiheitsgeschichten, was das Freiheitsethos in ihn unauslöschlich einpflanzt.

Aber es gibt auch die Fortsetzung der Auseinandersetzung mit der Mutter, die bereits in Wien begonnen hat. In seiner Beschützerfunktion wacht der Sohn extrem eifersüchtig darüber, dass die Mutter nicht mehr heiratet. Die erste Szene in den Erinnerungen zu 1916 zeigt exemplarisch Canettis gelegentlich ungeheure Heftigkeit, die sein Leben lang auftreten wird. Großmutter und Tante sind wie jeden Abend zu Besuch. Er lauscht an der Tür und sein Verdacht bestätigt sich, die Frauen wollen die Mutter zu

Nissim, Mathilde, Elias, die Großmutter Arditti, Georg und die Tante Ernestine (v. l.) in Zürich, 1917

:iner Heirat überreden. Die Mutter sträubt sich. Wütend stürmt :ler Elfjährige ins Wohnzimmer und verkündet, dass er keine Heirat der Mutter wolle; wenn es doch dazu komme, werde er sich vom Balkon stürzen. Beruhigen kann sich der kleine eifersüchtige Tyrann erst einigermaßen, als die Mutter mehrfach und dann schließlich *beim Andenken [...] des Vaters*[62] schwört, Großmutter und Tante niemals mehr solche Reden zu erlauben.

Szenen der Eifersucht muss es öfter gegeben haben. Sobald Elias einen Mann wittert, der einen gewissen Einfluss auf seine Mutter haben könnte, wird er aktiv.[63] In der autobiographischen Erzählung erläutert Canetti, seine Eifersucht habe sich immer gemeldet, *wenn ein Mensch mir wichtig wurde, und nur wenige unter solchen gab es, die nicht darunter zu leiden hatten. Sie bildete sich reich und vielseitig aus in der Beziehung zur Mutter.*[64] Die Heftigkeit der in ihm wirkenden Eifersucht will Canetti allerdings *weder billigen noch verdammen*[65]. Das ist sehr charakteristisch für ihn, es gehört zu seinen Lebens- und Arbeitsprinzipien, heftige Affekte bis zum Wahn ernst zu nehmen und sie nicht vorschnell auf- oder abzuwerten. Das wirkt sich in seinem Roman aus, in seinen Dramen und vor allem auch in *Masse und Macht*.

Fünf Jahre, vom elften bis zum sechzehnten Lebensjahr, verbringt Elias in Zürich. Nur gut die erste Hälfte dieser Zeit lebt er mit der Familie zusammen. Man mietet sich zunächst in einer kleinen Wohnung in der Scheuchzerstraße 68 ein, am Berg gelegen im nördlichen Ortsteil Oberstrass. Die Mutter findet bald in derselben Straße schräg gegenüber eine etwas geräumigere Wohnung für die nächsten beiden Jahre. Von hier aus geht Elias zunächst noch in die Grundschule in Oberstrass, ab dem Frühjahr 1917 in die Kantonsschule an der Rämistraße. Und er geht weiter gerne zur Schule, ist ein sehr guter Schüler, die Mutter ist stolz auf ihn. Er sei ja auch kein *Hohlkopf* [66], meint sie. In der Schule wird er wohl wegen seiner Gescheitheit «*Sokrates*» [67] genannt, ein Spitzname, den man ihm später auch in der Londoner Zeit noch geben wird.[68] Er erlernt das Klavierspiel, was er in seinen autobiographischen Erzählungen nur einmal kurz erwähnt.[69] In den Sommerferien geht es in die Berge, die ersten beiden Male nach Graubünden.

Nach den ersten zwei Züricher Jahren fühlt sich die Mutter ausgelaugt; sie mag nicht mal mehr «ihren» Strindberg lesen. Die Belastung, die drei Kinder ohne Hilfe zu erziehen, wirkt sich mächtig aus. Auch kann man sich vorstellen, dass es wünschenswert für sie ist, mal nicht den eifersüchtigen Beschützer um sich zu haben. Erst sehr viel später merkt Elias Canetti, wie sehr er dazu beigetragen hat, dass die Mutter, die noch keine 35 Jahre alt ist, ein Leben ohne Mann lebt und sich verzehrt. Das Tabu der Erotik, das sie in ihn eingepflanzt hat, wirkt auf sie zurück. Der Krieg ist vorbei, die Mutter zieht es zurück in ihr geliebtes Wien.

Doch erst einmal geht Mathilde Canetti für längere Zeit nach Arosa, um sich auszukurieren. Wöchentliche Briefe müssen nun die Gespräche ersetzen. Das schafft Distanz zwischen Mutter und Sohn. Die Geschwister kommen schließlich nach Lausanne. Elias bleibt allein in Zürich und bezieht ein Dachzimmer in der Pension «Villa Yalta», einem ehemaligen Mädchenpensionat im südlichen Ortsteil Tiefenbrunnen. Eine Zeit der glücklichen Fülle beginnt für ihn. Hier wird er von den übrigen Hausbewohnern und vor allem von den Betreiberinnen der Pension liebevoll verwöhnt. Er wird auf sie als fleißiger, sehr lebendiger und sehr wacher Schüler einen guten Eindruck gemacht haben, und wegen seiner relativ geringen Körpergröße hat man sich wohl doppelt gern um ihn ge-

Die Pension Villa Yalta

:ümmert. Auch die übrigen Gäste in der Pension, die Canetti noch
n lebhaftester Erinnerung schildert, mögen ihn und lassen ihn
mit seinen Dingen beschäftigt sein. Hier in der «Yalta» sind auch
:chülerinnen untergebracht, Skandinavierinnen und ein Mäd-
hen vom Genfer See, mit denen er herumtobt. Wieder einmal hat
·r so etwas wie eine fast normale Jugend. Auch rudert er auf dem
`üricher See, zu dessen Ufer es von der Villa aus nicht weit ist.
Neben der Schule besucht Canetti viele Vorträge, die neue Lese-
anregungen bieten, denn die Bücher sind weiterhin seine wichtig-
ten Zeitgenossen.

Bevor er sich von der Mutter und den Geschwistern trennt,
·erbringt die Familie 1919 noch einen gemeinsamen Sommerauf-
nthalt in Kandersteg im Berner Oberland. Die Canettis steigen
n einem Grandhotel ab. Die Mutter liebt solche Kontraste zum
onstigen Alltag. Immerhin ist so viel Geld doch vorhanden, dass
nan sich diese Urlaube leisten kann. In diesen Sommermonaten
tellen sich weitere Störungen zwischen Mutter und Sohn ein.
·ehr verwundert ist Elias, dass die Mutter plötzlich von der Idee
·anz mitgenommen ist, der Maler, den man im Hotel trifft, würde
ie porträtieren. *«Er wird mich malen! Ich werde unsterblich!»*[70], ver-

kündet sie daraufhin mehrfach. So recht scheint der Junge da nicht verstanden zu haben; sein eifersüchtiger Hass meldet sich wieder; es ist aber unklar, gegen wen er sich diesmal richtet. Die beiden Ausrufesätze aber prägen sich ihm ein. Erneut unvergessliche Muttersätze! Es geht ums Überleben; ein wichtiger Gedanke für sein Hauptwerk *Masse und Macht* und schließlich auch für seine Vorstellung vom Dichter.

Im Sommer 1920 setzt es Elias bei seiner Mutter durch, mit ihm ohne die Brüder ins Gebirge zu fahren. Dieser Urlaub in Ober-Wallis steht ganz im Zeichen von Jeremias Gotthelfs «Schwarzer Spinne». Nun ist es der Sohn, der der Mutter einen Dichter nahe zu bringen versucht. Doch ohne Erfolg! Die Mutter sieht in Schweizer Dichtern nur Lokalgrößen und mag obendrein nicht, dass sich ihr Sohn mit den Schweizer Dialekten beschäftigt und Zürichdeutsch lernt. Später wird Canetti sagen, er sei erst über diesen Dialekt zu seinem Sprachbewusstsein gekommen und nicht über die erlernten Sprachen der Kindheit.[71]

Auch im Sommer 1918 war die Familie bereits in einem Grandhotel in der Zentralschweiz. Der Besuch der Rütliwiese in diesem Urlaub ist Anlass für ein Gespräch über Schiller. Elias erfährt von der Mutter, dass sie diesen doch nicht so schätze wie Shakespeare. Er ist entrüstet. Habe das alles keinen Wert mehr, was sie zu Schillers Dramen erörtert hätten? Canetti zitiert seine Mutter: «*Ja, ja […], es ist schon gut, daß du das kennst. Du wirst noch drauf kommen, daß es Dichter gibt, die sich ihr Leben leihen. Andere haben es wie Shakespeare.*[72] Die Mutter liebt ganz offensichtlich solche Urteilssprüche, die den Sohn entrüsten. Sie kann den empörten Jungen nicht besänftigen.

Der Satz weist auf etwas hin, was er von der Mutter – jedoch nicht allein von ihr – übernehmen wird. Stets wird die Kunst nach dem Originalitätsprinzip beurteilt, mit dem Wert des Eigenen und Authentischen verbunden und mit dem situativen Kontext seines Schöpfers zusammen gesehen. Die Mutter spricht vom «Leben» Schillers und meint damit auch die Werke.

Eine ganz ähnliche Auffassung hört Canetti bei einigen seiner Lehrer, besonders bei seinem sehr geschätzten Geschichts- und Kunstgeschichtslehrer Eugen Müller. Im Rahmen eines Vortrags über die Kunst in Florenz wird etwa Michelangelo auf diese Weise

n Verflechtung von Leben und Werk, vorgestellt. Auch später ge-
en Canettis Essays – beispielsweise zu Kafka, anlässlich der Edi-
ion der Briefe an Felice Bauer, oder der zweite Karl Kraus-Essay,
nlässlich der Edition der Briefe an Sidony Náderny[73] – von sol-
her Durchdringung von Leben und Werk aus. Es ist ein Verste-
ensmodell aus der Lebensphilosophie und folgt einem Konzept,
as sich auf «Das Erlebnis und die Dichtung» konzentriert, wie
s Wilhelm Dilthey entworfen hat. Bei Canetti wird es freilich
ine ganz eigene Verfahrensgestalt annehmen. Es geht ihm dabei
tets um die Gestaltung von großen Affekten.

ie Züricher Jahre sind Canettis eigentliche Schülerjahre. Auf
em Gymnasium lernt er Dichtungen kennen, die in den Dichter-
tunden mit der Mutter nicht vorkommen. Darunter die Schwei-
er Dichter Gottfried Keller, Jeremias Gotthelf, Conrad Ferdinand
Meyer und Robert Walser. Auf ungewöhnliche Art macht er die
ekanntschaft mit Johann Peter Hebel: Er liest das «Alemannische
chatzkästlein» in Kurzschrift, die er zu lernen hat. Hebel und die
Kurzschrift sind ihm dann gleichermaßen nah; den größten Teil
einer späteren Arbeiten verfasst Canetti in der Stenographie von
chulze-Schrey.

Den Unterricht im Züricher Gymnasium beschreibt Canetti
n den autobiographischen Erzählungen so intensiv und liebevoll,
vie selten Schule dargestellt wird. Er dankt nachträglich allen sei-
en Lehrern. Auch reflektiert er die Funktion der Schule für die
ntwicklung des Menschen auf ganz eigene Weise. Ein anthropo-
ogisches Gesetz meint er für die Schulzeit gefunden zu haben,
venn er feststellt: *Die frühe kindliche Typologie nach Tieren, die immer
virksam bleibt, wird überlagert von einer neuen Typologie nach Leh-
ern.*[74] Aber eine solche *frühe kindliche Typologie nach Tieren* konnte
er kleine Elias nur schwach und ohne reale Erfahrung ausbilden.
Mit Ausnahme eines Zoobesuchs in Manchester und der Beschäf-
gung mit einem Hausschwein – in sicherer Distanz vom Balkon
er Züricher Wohnung aus – hat das Kind keinen Kontakt mit Tie-
en! Seine spätere intensive Beschäftigung mit Tieren[75] kann vor
iesem Hintergrund als eine Nachholarbeit gesehen werden. Erst
n der Gymnasialzeit wird Canetti im Naturkundeunterricht theo-
etisch zu den Tieren hingeführt und schockartig mit einer beson-

deren Wirklichkeit der Tiere konfrontiert. Der Lehrer Karl Fenner führt die Klasse in den Züricher Schlachthof. Man soll vor den *Unvermeidlichen*[76], das zum menschlichen Leben gehöre, die Augen nicht verschließen. Das wird Canetti sein Leben lang beschäftigen. Der Lehrer, der gemerkt hat, wie empfindlich sein Schüler auf diese Konfrontation reagiert, versucht ihn halbwegs zu schonen. Am Ende seines Berichts vom Schlachthofbesuch formuliert Canetti seine noch im Alter lebendige Hochachtung gegenüber diesem Lehrer: *Falls er, ein 90-, ein 100jähriger, noch auf der Welt sein sollte, so möge er wissen, daß ich mich vor ihm verneige.*[77]

Für seine schriftstellerische Arbeit scheint Canetti in der Züricher Zeit zum ersten Mal auch eigene bewusstere ästhetische Vorstellungen zu entwickeln. Die Maßstäbe dafür leiten sich von vielerlei Vorbildern ab. Besonders wichtig wird ihm Michelangelos Leben und Werk. Bilder aus einer Michelangelo-Mappe wird er sich von nun an mindestens zwanzig Jahre lang an einer Wand seines jeweiligen Zimmers aufhängen. An den liegenden Frauenplastiken aus der Kapelle der Medici demonstriert Elias Canetti eine instrumentalisierte Schönheitsvorstellung: *Schönheit, die nichts als Schönheit war, schien mir leer, Raffael bedeutete mir wenig, Schönheit aber, die etwas zu tragen hatte, die von Leidenschaft, Unglück und bösen Ahnungen belastet war, bezwang mich.*[78] Im weitesten Sinne sind es wieder die Affekte, die diese Ästhetik wesentlich mitbestimmen. Es ist fast so, als formuliere Canetti eine Bedingung für die Entstehung von *Masse und Macht*, wenn er aus Michelangelos Leben die Verbindung zu den Fresken in der Sixtinischen Kapelle zieht: *[...] vier Jahre arbeitete er daran, und welches Werk entstand! Die Drohung des ungeduldigen Papstes, ihn vom Gerüst stürzen zu lassen. Seine Weigerung, die Fresken durch Gold aufzuputzen. Auch hier beeindruckte mich die Jahre, aber diesmal ging das Werk selbst ebenso in mich ein, und nie ist etwas für mich so bestimmend gewesen wie die Decke der Sixtina. Ich lernte daraus, wie sehr Trotz schöpferisch werden kann, wenn er sich mit Geduld verbündet.*[79]

Diese theoretische Einsicht, die nach den eigenen großen Schaffensperioden von 1930 an und von 1950 an formuliert wurde, ist weit von dem entfernt, was er damals in Zürich zustande bringt. Elias Canetti hat angefangen, selbst zu dichten. Es beginnt mit Abenteuergeschichten, die nicht niedergeschrieben, sondern

den jüngeren Brüdern erzählt werden. Ihr besonderer Reiz besteht darin, die in den Erzählungen Getöteten am Ende stets wieder um Leben zu erwecken.[80]

Zugleich entsteht die erste ausformulierte Dichtung. Im ersten Jahr der Trennung von der Mutter sitzt er geduldig drei Monate lang jeden Tag zwei Stunden und mehr und arbeitet an dem im klassischen Blankvers geschriebenen fünfaktigen Drama *Junius Brutus*[81]. Er sucht sich den Stoff aus einem römischen Klassiker, aus den Geschichtsbüchern des Titus Livius: «Von der Gründung der Stadt [Rom] an» («Ab urbe condita»). Das *Machwerk*[82], sagt der Autor später, sei ganz Schiller abgeschaut.[83] Dennoch intendiert Canetti mit dem Drama eigene Pointen, die für die Mutter verfasst sind. Livius erzählt von dem republikanisch gesinnten ersten Konsul Junius Brutus, der sein Ethos so ernst nimmt, dass er sogar seine Söhne, die gegen die Republik anzugehen versuchen, hinrichten lässt. Das nun findet bereits der vierzehnjährige Canetti schrecklich. Hat nicht der Großvater seinen Vater verflucht und in den Augen der Mutter damit seinen Sohn getötet?

Canetti erfindet in seiner Darstellung des Stoffes eine Mutterfigur, die für die Kinder kämpft wie Klytämnestra gegen die Opferung der Iphigenie. Das Stück endet ganz in Schiller'schem Pathos: *Dem Vater Fluch, der seine Söhne mordet!*[84]

Im Frankfurt der Nachkriegs-zeit – Der Kontrast zum Züricher «Paradies»

Die Vertreibung aus seinem Paradies ist es für Elias Canetti, als die Mutter 1921 plötzlich beschließt, dass er und die beiden Brüder eine härtere Welt kennen lernen sollen und ins Nachkriegs-deutschland umziehen müssten. Geradezu bösartig zieht die Mutter über Elias' wohliges Leben in der «Yalta» her. Er soll keine längere einigermaßen friedliche Jugend haben. Deutschland mit seinen aufgeladenen politischen und gesellschaftlichen Spannun-gen und mit den immensen wirtschaftlichen Nöten soll es jetzt sein.

Frankfurt am Main sucht die Mutter als neuen Wohnort aus, denn in einer größeren Stadt zeigten sich die täglichen Probleme offenkundiger. Doch diesen Aufenthalt hat sie erneut nicht für lange Zeit geplant, denn man zieht in eine Pension. Wie in der «Yalta» beschreibt Canetti die übrigen Pensionsgäste, mit denen man auch zusammen isst.[85] Und mit der Mutter werden die Aus-einandersetzungen immer härter.

So bitter es auch für den sechzehnjährigen Elias ist, eine seiner Heimaten verlassen zu haben, er weiß sich ganz offensichtlich auch in Frankfurt einzurichten. Der Familie, die hier vom Geld aus Eng-land lebt, geht es ziemlich gut; aus einem Schulbericht geht her-vor, dass Elias Canettis Mutter der Schule für einen Wanderheim-fonds 1923 (inflationäre) fünf Millionen Mark gespendet habe.[86]

In und neben dem Schulunterricht sind Elias weiterhin die Bücher wichtig. Nichts als Bücher lässt er sich schenken. In einem Aufsatz schreibt Canetti etwa über Schillers Kritik an Goethes «Egmont». Überhaupt kommen viele Seiten der deutschen Klassi-ker vor. Schopenhauer ist einer, den er nun liest und an dessen Schriften er seine Affektenlehre erweitert. Nietzsche gehört dazu. Von ihm lernt und übernimmt er mehr, als er sich vorläufig einge-stehen kann. Besonders Nietzsches philologische Strenge trägt mit zu Canettis Sprachbewusstsein bei.

Unter den Gästen der Pension macht auch ein pessimistisches Buch der Zeit die Runde, Oswald Spenglers wenige Jahre zuvor erschienenes Werk vom «Untergang des Abendlandes». Namen und Bücher, von denen Canetti hört und die ihm wichtig erscheinen, frisst er in sich hinein; sein Lesehunger ist unbegrenzt.

Canetti entdeckt das Gilgamesch-Epos und ist ungeheuer beeindruckt von der Episode, als Enkidu stirbt und Gilgamesch dies nicht wahrhaben will und sich auf die Suche nach dem Freund macht. Er stößt in der Literatur auf etwas, das er beim Tod des Vaters erlebt hat. Oder wird es ihm erst jetzt bewusst? Wie es auch sein mag, eines der ältesten literarischen Zeugnisse der Menschheit enthält ein Vorbild für seinen Kampf gegen den Tod! Diesen Kampf hat die Mutter mit ihrer absoluten Antikriegshaltung gestärkt; mit solchen Erlebnissen formt er ihn nun weiter. Das zweite wichtige Literaturerlebnis wird für ihn die Entdeckung der Komödien des Aristophanes. Von ihm wird er die Bedeutung des Einfalls für die eigenen Theaterstücke übernehmen. Aristophanes' Stücke helfen ihm auch, seine Satire- und Spottlust auszubilden.

Schließlich beginnt sein Liebestabu allmählich ins Wanken zu geraten. Im Schauspielhaus sieht Canetti die Schauspielerin Gerda Müller in der Rolle von Kleists Penthesilea. Das bleibt als ein Erlebnis der Leidenschaft haften, eines in theatrischer Distanz freilich. Es ist typisch für Canetti, dass er in seinen autobiographischen Erzählungen auch die großen Affekte, die ihm auf diese Art begegnen, sammelt.

Mathilde Canetti wird Elias' Versinken in der Bücher- und Theaterwelt, in die sie ihn selbst nach dem Vater eingeführt hat, unheimlich. Aber noch kann oder will sie sich nicht ernsthaft damit auseinander setzen; ihr scheint es vorläufig genug zu sein, dass Elias nicht mehr in Zürich ist.

Bald wird die Mutter wieder krank und depressiv und muss zur Erholung. Sie bringt die Kinder bei einer Familie unter. Nach ihrer Genesung besucht die Familie 1923 München. Dort kommt es zu einer wichtigen Erfahrung des jüngeren Bruders Nissim. Dieser hört zufällig auf einer Parteiveranstaltung der NSDAP in einem Gasthaus Hitler über die französische Besatzung des Ruhrgebiets schimpfen, über die Schwerindustrie und über die Juden. Im Familienkreis berichtet der Fünfzehnjährige davon ganz angetan. Die Mutter ist entsetzt und weiß zu handeln. Sie bespricht sich mit Elias und reist drei Tage später mit den beiden kleineren Söhnen, ohne nach Frankfurt zurückzukehren, nach Wien ab.[87] Elias muss noch für einige Monate in Frankfurt bleiben. Er hat nun ruhige Tage, um seine Schule abzuschließen. Er entspricht den familiären Erwartungen und erreicht 1924 ein sehr gutes Abitur. Einzig im Turnen und in «Handschrift» bringt er es zu keinen guten Noten. Es wird ihm das Abschlusszeugnis ausgestellt, «um sich dem Studium der Medizin zu widmen»[88]. Erst dann folgt er der Familie nach Wien.

Je älter und selbständiger der Abiturient wird, desto mehr kann er am öffentlichen Leben Frankfurts teilnehmen. Da es der Familie nicht schlecht geht, ist man in der Lage, sich viele Besuche

m Schauspielhaus zu leisten, und zwar immer auf den besten Plätzen, wie Canettis Bruder berichtet.[89] In Elias Canettis Erinnerungen kommen die Brüder als Theatergänger allerdings nicht vor. Und auch sonst sind sie selten Gegenstand seiner Erinnerungen.

Canetti geht in Konzerte und in die Oper. (Der Dirigent, dem er später persönlich begegnet, Hermann Scherchen, hat in Frankfurt seine Karriere begonnen; vielleicht hat er Scherchen bereits hier gehört.) Doch er lernt in Frankfurt auch das Leben auf der Straße kennen: Eine Demonstration anlässlich der Ermordung Walther Rathenaus wird ihm Stoff für seine bald beginnenden Studien zu *Masse und Macht* bieten. Das ist neben der Lektüre der wichtigste Ertrag der drei Frankfurter Jahre.

Frankfurt, 4. Juli 1922:
Demonstration nach dem Mord
an Walther Rathenau

Canetti wird ein Wiener
(1924 – 1938)

Elias Canetti hat in Frankfurt die harte Nachkriegszeit mit aller materiellen und geistigen Not und der Inflation miterlebt. Damit ist der Wunsch der Mutter deutlich in Erfüllung gegangen, die «Wirklichkeit»[90] des Lebens kennen zu lernen. In dieser Nachkriegswelt hat Elias Canetti die Hochschulreife erworben. Nach den Wünschen von Mathilde Canetti soll der älteste Sohn einen Beruf anstreben, mit dem man sich eine materiell solide Lebensgrundlage schaffen kann – der Familienauftrag trifft den jungen Elias. Zum zweiten Mal lässt sich die Familie in der österreichischen Hauptstadt nieder. Es ist Elias Canettis fünfte Umsiedlung in ein anderes Land. Wien ist zwar im Äußeren mit den Prachtbauten aus älterer und neuerer Zeit die glänzende Stadt aus der Vorkriegszeit geblieben, freilich hat sich viel verändert.

Die Stadt ist nicht mehr das Zentrum eines großen Reichs. Wien ist nur noch Hauptstadt des Kernlandes Österreich; an Österreichs neuen Grenzen sind aus den einstigen Provinzen des österreich-ungarischen Reichs neue unabhängige Staaten entstanden, so wie es der Friedensvertrag von Saint Germain festgelegt hat. Eine eigenartige Mischung aus Altem und Neuem ist in dieser Nachkriegssituation entstanden. Einerseits ist im täglichen Leben vielfach der Geist der k. u. k. Monarchie erhalten geblieben und in viel «Muff» übergegangen, andererseits sind die Monarchie und der Adel überhaupt abgeschafft worden. Ein neuer sozialdemokratischer Wind weht. In Wien wird in den Jahren nach dem Ersten Weltkrieg eine wirkungsvolle soziale Politik umgesetzt. In der ersten Republik Österreichs bildet sich deshalb aber auch ein starker Gegensatz zwischen der Stadt Wien und dem übrigen Österreich heraus, der sich vor allem politisch niederschlägt. Die Sozialdemokraten regieren in Wien, auf dem Land finden sich eher für konservative Parteien Mehrheiten. Vom «roten Wien» ist nun die Rede – bis 1934. Und Canetti scheint mit dieser Linken durchaus zu sympathisieren.

Die Praterstraße mit dem «Wiener Theatercafé», 1935

Die Canettis wohnen wieder in der Leopoldstadt, dem traditionellen Viertel der Juden im II. Bezirk. Zunächst kann die Familie nicht zusammenwohnen. Elias bezieht mit dem kleinen Bruder Georg ein möbliertes Zimmer in der Praterstraße 22. Diese kurze Zeit von vier Monaten eines sehr dichten Zusammenseins und der Verantwortung des Neunzehnjährigen hat mit dazu beigetragen, dass Elias' Verhältnis zu seinem jüngsten Bruder Georg stets besser war als zum nächstjüngeren Bruder Nissim. Die beiden Brüder müssen arg auf das wenige Geld achten, das ihnen zur Verfügung steht; jede Unvorsichtigkeit in den Ausgaben der beiden führt zu besonders bedrückenden Sparmaßnahmen des großen Bruders. Nach vier Monaten erst kann die Mutter ihre Familie wieder in einer kleinen Wohnung vereinen. Man bleibt im II. Bezirk, in der Radetzkystraße. Für Elias Canetti beginnt *das gedrückteste Jahr*[91], an das er sich erinnert.

In der kargen Wohnsituation bilden sich die materiellen Bedingungen der Familie und die zunehmenden Spannungen zwischen Elias und seiner Mutter besonders scharf heraus. Mathilde Canetti gibt vor, weiterhin auf jeden Schilling achten zu müssen. Man hat trotz beengter Wohnverhältnisse einen Untermieter,

Elias Canetti mit seiner Cousine Mathilde Camhi
auf der Ringstraße in Wien, 1928

was damals für viele weniger Begüterte ganz normal war. Abe
die Enge erzeugt ein Reizklima.

Trotz aller materieller Einschränkungen kann und muss de
älteste Sohn studieren; er immatrikuliert sich an der philosoph
schen Fakultät der Universität für das Fach Chemie. In *Die Fack*
im Ohr erinnert sich Canetti an Menschen und Orte, aber kaur
mehr richtig an die Sache der Chemie. Das zeigt, dass er das Stu
dium tatsächlich nicht nur freiwillig gewählt hatte. Er selbst stell
auch einmal sein Chemiestudium mit einer spezifischen Motiva
tion dar: *Der Grund, warum ich Chemie studierte, war ein beinahe kir*
discher. Ich hatte damals das Gefühl, daß ich von allem etwas verstehe
möchte, ich wollte ein universales Wissen erwerben, ich dachte dama
noch, daß man das kann. Nun hatten wir auf der Schule einen sel
schlechten Chemielehrer, und ich verstand überhaupt nichts von Chemi
Als ich zur Universität kam, belegte ich darum Chemie [...]. Ich hör
auch viele andere Vorlesungen, so verschiedenartige, daß ich mich bein
he schämen würde, sie [...] alle aufzuzählen; aber ich habe dann nich
mit der Chemie gemacht.[92] Was Canetti hier in einem Gespräch vo:
1967 «kindisch» nennt, hatte andererseits in der Zeit des späte:

9. und frühen 20. Jahrhunderts eine gewisse Verbreitung im Studium generale. Ein umfassender Bildungsbegriff mag dies gefordert haben. Vielleicht aber spielte im Unbewussten auch der Gedanke mit, dass das Chemiestudium ein Umweg zur Medizin hätte sein können. Er überlässt die Medizin dann allerdings seinem jüngsten Bruder Georg.

Relativ zügig und ohne großes Engagement studiert Canetti im Chemischen Institut der Universität Wien. Er fängt im Sommersemester 1924 sein Studium an und schließt es im Sommersemester 1929 mit der Promotion ab, wofür er eine Doktorarbeit schreibt mit dem Titel *Über die Darstellung des Tertiärbutylcabinols* [93].

Canetti ist durchaus nicht der einzige Dichter im 20. Jahrhundert, der sich mit den Naturwissenschaften eingelassen hat. Robert Musil und Hermann Broch, für Canetti zwei der bedeutendsten älteren Zeitgenossen in Wien, waren intensiv mit der Naturwissenschaft und Mathematik beschäftigt. Man hat für ihr Schreiben deutlich machen können, wie sehr es vom naturwissenschaftlichen Arbeiten geprägt ist. Der in Musils «Mann ohne Eigenschaften» diskutierte Möglichkeitssinn wird auf das erlernte naturwissenschaftliche Denken zurückgeführt. Stilistisches Indiz ist dafür der Konjunktiv mit dem Sprach- und Denkansatz des «es könnte auch anders sein» [94]. Es werden auch von Canetti in den *Aufzeichnungen* immer wieder mögliche andere Welten angedeutet oder entworfen; die vielen Einfälle, die mit *Dort* [95] beginnen, enthalten solche Möglichkeitsentwürfe. Canettis Denken wird aber insgesamt vom Naturwissenschaftlichen eher in einem negativen Sinn beeinflusst; *Gegen-Einflüsse* [96] kann das mit einem Canetti'schen Begriff genannt werden. Gemeint sind gedankliche Abwendungen und Gegenentwürfe, die bei ihm mit einem antiaristotelischen Affekt verbunden sind. Es geht ihm nicht um logische Aussagen zu den vorhandenen

> Diese scharfe Einstellung auf die innere Logik der Gestalten gibt der Canettischen Dichtung ein eigentümlich rationales Gepräge, und selbst dort, wo das Irrationale durchbricht, wo alle dunklen Gewalten des Menschen entfesselt werden, das Höllische der Seele sich auftut, da geschieht es in einer merkwürdig harten, logischen und kalten Weise. Das, was man gemeiniglich Gemütswärme nennt, oder gar das Poetische, das wird man freilich bei Canetti vergeblich suchen.
> Hermann Broch am 23. Januar 1933

Wirklichkeiten, sondern um ein Umkreisen und Einfangen de
Extreme der Wirklichkeiten und ein permanentes Fragen, das i
unbekannte Gebiete vorstoßen möchte; dabei ist ihm – und da
ist entscheidend – nicht unsystematisches Arbeiten, wohl aber da
Beharren in gewissen Denksystemen sehr zuwider; er will alles o
fen halten. Der Schriftsteller W. G. Sebald hat diese Offenheit als e
was typisch Jüdisches bezeichnet.[97] Und dennoch hat Canetti auc
positiv etwas von der naturwissenschaftlichen Ausbildung aufg
nommen. Es ist dies vor allem die Arbeitsdisziplin und eine g
wisse denkerische und kritische Konsequenz; Canetti spricht vo
Strenge[98].

Vom eigentlichen Chemiestudium bleibt bei Canetti so gu
wie nichts hängen. Die Mitstudenten um ihn herum aber sin
ihm wichtig. Auch sie gehören zur Menschensammlung, wie
sie in der autobiographischen Erzählung *Die Fackel im Ohr* vo
führt. Dem ganz ähnlich die Schulkameraden im Züricher Gym
nasium in *Die gerettete Zunge*; und so wird es wieder sein mit de
Menschen, die ihm aus dem Wien der dreißiger Jahre wichtig sin
– in *Das Augenspiel* – und mit den vielen Frauen und Männern de
Londoner Zeit ab 1939, die er in *Party im Blitz* porträtiert. Canet
hat alle diese Menschen in sich gesammelt und sich im Nieder
schreiben von ihnen befreit. Auch hält er sie mit dem Erinnern a
seine Art am Leben, was auch sein Erinnerungsschreiben z
einem Kampf gegen den Tod macht.

In der Wiener Studienzeit lernt Ca
netti naturgemäß eine ganze Reihe vo
Studenten kennen, die skurrilsten Ty
pen sind darunter, mit wenigen nu
pflegt er einen intensiveren Kontak
Eva Reichmann beispielsweise, eir
russische Studentin, mit der er gele
gentlich auch über russische Literatu
sprechen kann. Sie hat für Elias Cane
tis Verhältnis zur Mutter eine besond
re Funktion. *Friedenstaube*[99], nennt Ca
netti sie in den Erinnerungen, weil

Ibby Gordon

on ihr zu Hause eine Zeit lang erzählen und die Mutter in dem Glauben lassen kann, er würde sich nicht mehr für Veza Taubner-Calderon allein interessieren. Später erfindet er der Mutter zuliebe die verschiedensten Frauen.

Zu den Frauen, die er in dieser Zeit kennen und schätzen lernt, gehört die Ungarin Ibolya Feldmesser, genannt Ibby Gordon, die vertrauteste und auch wichtigste Frau für ihn nach seiner späteren Ehefrau Veza. Ibby Gordon ist ihm ein «guter Kumpel». Sie schreibt selbst und hat gute Beziehungen zu verschiedenen Literaten. Gegen Ende des Chemiestudiums lockt sie ihn nach Berlin und fädelt die Kontakte zum Malik Verlag, zu Brecht und seiner Umgebung ein.

VEZA TAUBNER-CALDERON

Bisher ist Canetti noch keinem Mädchen und auch keiner Frau begegnet, die durch ihre Weiblichkeit einen größeren Eindruck auf ihn gemacht hätte. Frauen lagen noch nicht in seinem Interessenfeld; das Geschlechtliche ist noch nicht seine Sache; bei entsprechenden Andeutungen früherer Schulkameraden hat er sich genauso abgewendet wie von Mitstudenten, die immer wieder die Sexualität zur Sprache bringen oder erotische Bilder rumzeigen. Einzig übers Theater in Frankfurt hat er, wie schon erwähnt, einen Eindruck von Leidenschaft bekommen.

Venetiana Taubner-Calderon ist acht Jahre älter als Canetti, als sie einander im April 1924 das erste Mal begegnen – und zwar in der Pause einer Vorlesung von Karl Kraus.[100] Im Nachhinein der autobiographischen Erzählung folgen dann Formulierungen, die ein exotisches, fast überirdisch überhöhtes Bild von ihr zeichnen. Dabei ist es für den Büchermenschen Canetti typisch, dass er die Frau mit dem besonderen Namen zunächst mit einer Illustration in Beziehung bringt: *Sie sah sehr fremd aus, eine Kostbarkeit, ein Wesen, wie man es nie in Wien, wohl aber auf einer persischen Miniatur erwartet hätte.*[101] Nun könnte eine ausführliche Schilderung der Gestalt, der Kleidung oder weiterer Eindrücke folgen, die bei einer ersten Begegnung eine Rolle spielen; Canetti aber geht lediglich auf ein Detail ein, auf die Augen und die Wimpern vor allem, die Veza als ganze Person vorstellen sollen.[102] Der achtzehnjährige Jüngling ist verlegen in ihrer Gegenwart. Sie sprechen kurz miteinander,

Veza Taubner-Calderon, 1919

und in nur wenigen Formu
lierungen teilen sie einande
Privates mit, er ihr seine Lie
besbeziehung zur Schwei
sie ihm die ihre zu Englanc
Am Ende fordert sie ihn au
sie einmal zu besuchen.

Canetti stilisiert in sei
nen autobiographischen E
zählungen viele Ereigniss
und Personen, die Darste
lung gleitet immer wiede
ins Fiktionale über. Die Ma
terialien zur Entstehung de
Bandes *Die Fackel im Oh*
zeigen sein Bemühen, sein
spätere Frau Veza angemes
sen wiederzugeben, andere
seits auszulassen, was ih
Verhältnis belastet hat – e
wa das Schweigetabu Veza
fehlenden linken Unterarn

betreffend. Er benennt im bisher unveröffentlichten Material nu
einmal das *Fehlende*. Ganz ähnlich tut dies der Journalist Ernst F
scher in seinen «Erinnerungen und Reflexionen», wenn er übe
«Fehlendes» als Vezas Tabu berichtet, freilich nicht ohne vorhe
den fehlenden Armteil benannt und damit der Nachwelt bekann
gegeben zu haben.[103] Sie selbst kaschiert diesen Sachverhalt, ir
dem sie unter Menschen stets schwarze, weit hochgezogene Hanc
schuhe trägt.

In *Die Fackel im Ohr* lässt der Autor seine Veza nicht gleich au
treten, sie wird – wie in der Exposition eines Dramas – zunächs
indirekt eingeführt: Man berichtet über sie, Spannung wird e
zeugt, unter anderem erzählt, das längste englische Gedicht, da
sie auswendig kenne, sei «The Raven» (Der Rabe) von Edgar Alla
Poe – *und wie ein Rabe sehe sie selbst aus, ein Rabe zur Spanierin ve
zaubert*[104]. In der Lesung von Kraus sieht Elias Canetti dann auc
vorn in der ersten Reihe das *Rabenhaar*[105].

In den bisher nicht gedruckten Überlegungen zur Darstellung der ersten Begegnung mit Veza fragt sich Canetti, ob das Bild vom Raben angemessen sei. Er lässt es dann ohne weitere Begründung stehen, vielleicht auch wegen der Beziehung des Bildes vom Raben zu der biblischen Erzählung vom Propheten Elias. Dort sind es die Raben, die auf Befehl Gottes dem Propheten in der Einsamkeit an einem Bach Brot und Fleisch bringen, ihn ernähren.[106] In den Folgejahren wird Veza ihm dann tatsächlich – im geistigen Sinne – immer wieder neue Nahrung geben, ihm neue wichtige Dichter nennen. Sie ist es, die ihn berät und ihm auch bei verschiedenen Einzelarbeiten hilft, wie bei den Übersetzungen aus dem Englischen oder ins Englische. In einer Ernährerrolle findet sich Veza Canetti später in England auch ganz konkret. Eine Grundkonstellation, ganz dazu angetan, die Eifersucht der Mutter wachzurufen – es kommt fast zum totalen Bruch zwischen Mathilde Canetti und ihrem Sohn Elias. Aus der alten Symbiose kann nur er sich trennen, die Mutter nicht.

Wer ist diese Venetiana Taubner-Calderon? Sie wurde am 21. November 1897 in Wien geboren. Ihr Vater Hermann Taubner starb früh. Ihre Mutter heiratete neu. Als Canetti Veza kennen lernt, wohnt sie mit der Mutter und deren drittem Ehemann in der Ferdinandstraße Nummer 16 in der Leopoldstadt. Dort in der Dreizimmerwohnung im Mezzanin hat sie sich ein Zimmer ganz für sich erobert, das von ihrem als monströs empfundenen Stiefvater nicht betreten werden darf. Der Stiefvater – er heißt bei Canetti Mento Altaras, nach Wiener Unterlagen jedoch Menachem Alkaley[107] – ist ein sehr reicher spaniolischer Jude aus Bosnien. Eine Erscheinung wie aus Dantes Hölle, so Canetti.[108] Er wird von beiden in unterschiedlichen Erzählungen porträtiert: Veza Canetti schreibt in den dreißiger Jahren eine Ich-Erzählung «Geld – Geld – Geld»[109], Elias Canetti nimmt ihn als ungeheure Figur in ein Kapitel der *Fackel im Ohr* auf und lässt ihn dort fast neunzigjährig sterben; er war in seinem Todesjahr 1929 allerdings erst 79 Jahre alt.[110] Bei Veza Canetti wird die Erzählung zu einer Rachegeschichte und damit stärker in die bosnische Heimat Alkaleys verlegt; Elias Canetti bindet seine Darstellung mehr an seinen ersten Besuch bei seiner späteren Frau in der Ferdinandstraße im Mai 1925 und vergrößert das Monster», um seine Veza in ein strahlenderes Licht zu rücken.

Vezas Zimmer dort wird er nun immer häufiger aufsuchen; es wird ihm in seinen eigenen Kämpfen zum *Asyl*[111]. Die Mutter will ihren Sohn nicht an Veza gebunden sehen, Elias soll der Ihre bleiben. Wieder einmal wird Mathilde Canetti krank und muss zur Kur. Schon während ihrer Erholung im südfranzösischen Menton – ein früher beliebter Winteraufenthaltsort der begüterten Nordeuropäer – beschließt sie, Wien zu verlassen und mit Nissim und Georg nach Paris überzusiedeln, wo sich inzwischen mehrere Ardittis und Canettis niedergelassen haben. 1926 macht die Mutter ihre Pläne wahr, in Briefen bleibt sie aber weiter präsent. Elias Canetti nimmt sich zunächst ein Zimmer in der Stadt, dann zieht er an den Rand Wiens nach Hütteldorf. Einmal fährt er die Familie in Paris besuchen, wo er Mutters Urteile gegen sich und Veza auszuhalten hat. Hier erlebt er auch, wie sein nächster Bruder Nissim ins Musikgeschäft einsteigt und Georg, der jetzt französisch Georges heißt, ein Medizinstudium beginnt (und später ein beachteter Arzt wird, der sich auf die Bekämpfung der damals noch vielfach tödlichen Tuberkulose spezialisiert). Elias aber ist in Mathilde Canettis Augen ganz aus der Familie geschlagen. Er studiert zwar noch Chemie, hat aber nicht vor, jemals als Chemiker zu arbeiten.

In Paris ist die Mutter für Veza und Elias bald kein Störenfried mehr. Sie können unbeschwerter ihre literarischen Gespräche fortsetzen, und Canetti kann von Vezas weitgespannter und feinsinniger Literatur- und Menschenkenntnis lernen. Sie erklären einander ihre Favoriten, er verweist auf Stendhal, sie auf Flaubert, er auf Gogol, sie auf Tolstoj. Er zeigt ihr seine Gedichte, sie hebt sie auf. Wir kennen viele Eigenschaften des Paars Veza Taubner-Calderon, spätere Veza Canetti, und Elias Canetti nur aus seinen Erzählungen. Elias Canetti legt Wert darauf, in der dichterischen Wirklichkeit der späten siebziger Jahre des 20. Jahrhunderts einen Engel aus Veza Canetti zu machen. Konkret schaut ihre Wirklichkeit in etwa so aus: Sie lebt wohl von der Unterstützung von Zuhause; sie verdient auch ein wenig, sie gibt Englischunterricht und – sie schreibt. Das wissen nur wenige ihrer Zeitgenossen, denn sie schreibt unter Pseudonymen. In ihrem Hauptpseudonym deutet sie sich selbst: «Veza Magd»[112]. Weitere Versteckname von ihr sind inzwischen bekannt geworden: «Magda Murner»,

Monika Knecht» und andere.[113] Veza Canetti schreibt vorwiegend Erzählungen, die ab 1932 in der «Arbeiter-Zeitung» in Wien und in anderen Zeitungen veröffentlicht werden. In den dreißiger Jahren gestaltet sie aus einer Reihe von Erzählungen den Roman «Die Gelbe Straße», später dann aus zwei Erzählteilen des Romans die zwei Dramen «Der Oger» und «Der Tiger»; in den fünfziger Jahren wird sie in London ein weiteres Drama schreiben. Das alles verläuft auffallend parallel zu Canettis Arbeiten, der zunächst seinen Roman schreibt, dann zwei Dramen und in den fünfziger Jahren ebenfalls noch einmal ein Drama. Es ist eine starke Affinität zwischen beiden entstanden. In sein zweites Drama wird Elias Canetti sogar den Figurennamen «Garaus» aus Vezas Erzählung «Geduld bringt Rosen» übernehmen.

Dass sie zu schreiben beginnt, um sich von dem ungeheuren Eindruck, den seine *Blendung* auf sie macht, zu befreien, wie Canetti später behauptet, dürfte nicht ganz richtig sein. Wahrscheinlicher ist, dass ihre ersten Schreibversuche sehr viel früher beginnen und sie sich nur erst später als Schriftstellerin zu erkennen gibt.

Am 19. Februar 1934 heiraten Veza Taubner-Calderon und Elias Canetti im sephardischen Tempel in der Leopoldstadt – der Mutter zu Gefallen nach jüdischem Ritus.[114] Veza ist im Jahr zuvor wieder in die jüdische Kultusgemeinde eingetreten, aus Solidarität mit den verfolgten Juden. Diesen Schritt sind um 1933 auch andere gegangen, Arnold Schönberg etwa.

Die Tage des schrecklichen Bürgerkriegs vom Februar 1934, der zum katholischen Austrofaschismus und damit zum Ende der ersten Republik Österreichs führt, verbringt das Ehepaar Canetti meistens zusammen in der Ferdinandstraße, wo Elias mehr und mehr wohnt. Die Wohnung wird zum Schutzort einiger verfolgter Sozialisten, denen Veza nahe steht. Danach ziehen sie an den Rand Wiens in ein herrschaftliches Haus nach Grinzing, ihre erste gemeinsame Wohnung.

KARL KRAUS

Noch einmal Jahre zurück. Ein glücklicher Tag, der 17. April 1924! Dass Elias Canetti Veza Taubner-Calderon und Karl Kraus zur selben Stunde kennen lernt, ist ihm sicher als ein gutes Omen er-

Karl Kraus in einer Vorlesung, um 1930

schienen. Wird Veza eine Zeit lang seine Göttin, so wird Kraus
über Jahre hinweg sein Gott. Mit seiner Stimme hat Kraus Canetti
wie viele andere eingefangen. *Bald kam Karl Kraus selbst und wurde
von einem Beifall begrüßt, so stark wie ich ihn noch nie, nicht einmal bei
Konzerten erlebt hatte. [...] Als er Platz nahm und zu sprechen begann,
überfiel mich die Stimme, die etwas unnatürlich Vibrierendes hatte, wie
ein verlangsamtes Krähen. Aber dieser Eindruck verflüchtigte sich rasch,
denn die Stimme änderte sich gleich und änderte sich weiter unaufhör-
lich, und sehr bald schon staunte man über die Vielfalt deren sie fähig
war. [...] Die Einwirkung jener Stimme, die auch in den Augenblicken
nicht aussetzte, in denen sie verstummte, läßt sich so wenig wiedergeben
wie das Wilde Heer der Sage.*[115] Es war die 300. Vorlesung von Karl
Kraus, sie fand deswegen nicht wie sonst häufig im Mittleren, sondern im Großen Konzerthaussaal statt; die vielen Verehrerinnen
und Verehrer konnten sich im großen Raum zum Jubiläum ver-
sammeln. Kraus führte an dem Abend einen Querschnitt seiner
Arbeiten von 1908 bis 1919 vor; er begann mit einem Epigramm
und Gedichten sowie glossenartiger Prosa. Das Massenerlebnis im
Saal, Kraus und die vielen, seine Macht und die Masse werden

hrzehnte später die Anknüpfungspunkte für Canettis Kritik an em Vortragskünstler sein. Man könnte das kleine Gedicht «Der 'orleser» (s. S. 65), das Kraus ebenfalls am 17. April 1924 vorträgt, ls einen Keim für Canettis Gedanken zum Machthaber sehen.

Im dritten, dem Schlussteil der Vorlesung liest Kraus unter nderem die längeren Gedichte «Jugend» und «Nach zwanzig Jahen», zwei Stücke aus der Sammlung «Worte in Versen»[116]. Dies Schlussstück «Nach zwanzig Jahren» vom April 1919 ist eine rt Rechenschaftsgesang in Shakespeare'schen bzw. klassischen lankversen. Trotz einiger Selbstzweifel ist in dem Gedicht das raus'sche Selbstbewusstsein erneut nicht zu überhören, das in er schlichten Zeile gipfelt: «Mein Wort hat Österreich-Ungarn berlebt.»[117] Canetti konnte sich keinen besseren Vortragsabend ussuchen, um den ganzen Karl Kraus – er hat an dem Abend auch esungen – auf einmal kennen zu lernen.

Mitte der zwanziger Jahre ist Karl Kraus auf dem Höhepunkt eines Ruhms. Für Elias Canetti müssen die Wiener Vorlesungen ie willkommenste Abwechslung im Chemiestudium gewesen ein. Er erlebt in den Kraus-Vorlesungen eine Jubelmasse, zu der r selbst gehört. Der Machthaber und die Masse – er beginnt um iese Zeit, sie zu studieren. Dem gehen unterschiedliche Massenrfahrungen voraus, die in den autobiographischen Erzählungen in Stück von Canettis Erforschung der Masse überhaupt repräsenieren und zum Anfang der Jahrzehnte dauernden Arbeit gehören, is dann 1960 das Buch *Masse und Macht* erscheint.

RFAHRUNGEN ZU «MASSE UND MACHT»

anettis Lebenswerk gilt hauptsächlich den Fragen, was Masse ist nd in welchen Zusammenhängen sie auf die beteiligten Men-chen in welcher Weise wirkt. Das Interesse, die Fragen Wie bildet ch eine Masse?, Mit welchen anderen Phänomenen sind Massen der ist die Masse wie verbunden?, Welche Massen gibt es? zu errtern, entsteht bei Canetti sehr früh. Das ist nicht verwunderlich, ann man doch die Moderne auch als das Zeitalter der Herausbilung neuer Massen verstehen. Diese und andere Fragen haben sich uf mehreren Wegen in Canetti allmählich herangebildet – über edeutende historische Ereignisse wie vor allem über den Beginn es Ersten Weltkriegs, über Bücher und über das eigene Nachden-

ken. Die ersten wichtigen Fragen zu diesem Lebenswerk stellt (
bereits in den letzten Schuljahren in Frankfurt, nachdem ihn, w
erwähnt, eine Demonstration aus Anlass der Ermordung Walth(
Rathenaus beeindruckt, und vor allem in den drei Jahren von 192
bis 1927 in Wien, wo der Grundstein für das spätere Werk gele;
wird.

Seit der Auseinandersetzung mit der Französischen Revolutio
und ihren Folgen und seit der Herausbildung einer neuen Mass
von Arbeitern spielt «die Masse» in verschiedensten Unters(
chungen eine bedeutende Rolle. Diese Forschungen kritisch da
zulegen war nie Canettis Sache; das haben andere getan, nicht z(
letzt Canettis Londoner Freund H. G. Adler, der in einem große
Aufsatz den Gebrauch und die Entwicklung der Bedeutung d(
Wortes «Masse» von der Antike bis ins 20. Jahrhundert sehr d
tailliert nachgezeichnet hat.[118]

Canetti findet in seinen Erinnerungen für das Frankfurter E
lebnis der Massendemonstration interessante Formulierunge
die ein Licht auf seine Methode werfen: *Ich war ja von Masse e
griffen worden, es war ein Rausch, man verlor sich selbst, man verg(
sich, man fühlte sich ungeheuer weit und zur selben Zeit erfüllt, was i(
mer man fühlte, man fühlte es nicht für sich, es war das Selbstloseste, d(
man kannte, und da einem Selbstsucht auf allen Seiten vorgemacht wu(
de, brauchte man diese Erfahrung dröhnender Selbstlosigkeit wie d(
Trompetenstoß des Jüngsten Gerichts und hütete sich davor sie geringz(
schätzen oder zu entwerten. Zugleich spürte man aber, daß man nic(
über sich bestimmte, man nicht frei war, etwas Unheimliches gesch(
mit einem, halb war's Taumel, halb Lähmung, wie war das zusamm(
möglich? Was war das?*[119] Was das Zitat deutlich werden lässt, i(
die subjektive Methode Canettis. Um etwas über die Masse zu e(
fahren, werden die eigenen Affekte genau registriert und bedac(
und von mehreren Seiten beleuchtet auf die Frage hin: Wie füh(
ich mich in der Masse? Zudem bewegt sich Canetti mit seinen G(
danken an einer wichtigen geschichtlichen Schaltstelle der Erfo(
schung von «Masse». Vor ihm und um ihn herum – mit Ausna(
me der Perspektive einiger Marxisten – wurde die Masse stets a(
etwas Negatives verstanden und dem Wert des Einzelnen gege(
übergestellt. Dieser Tradition ist Canetti nicht verhaftet, weil (

eine Affekte nicht negativ bewertet, kommt er zu anderen Ausgangserfahrungen. Er spricht zwar einerseits von Unfreiheit, hebt aber andererseits die Selbstlosigkeit hervor – wenngleich als *dröhnende Selbstlosigkeit*, was für ihn etwas Apokalyptisches enthält. Eine solche Mehrwertigkeit von Masse ist bis heute, noch im 21. Jahrhundert, eine bedeutsame Herausforderung für die Beschäftigung mit Massen.

Die erste Diskussion Canettis hierzu findet an einem unerwarteten Ort statt. Im Herbst 1924, nach dem ersten Semester in Wien, besucht Canetti seine bulgarische Heimat. In Sofia erfährt er, dass die meisten Spaniolen ohne Not Zionisten geworden seien und ein Verwandter aus der Arditti-Familie, sein Cousin Bernhard, als Redner für den Zionismus werbe. Diesen Cousin beginnt er über seine Gefühle als Redner vor der Masse auszufragen. Nein, Angst habe er nie; man *hat die Menschen in der Hand wie weichen Teig und kann mit ihnen machen, was man will*, meint der Cousin.[120] Es ist die Macht über andere Menschen, die zur Masse dazugedacht werden muss. Machtmissbrauch sei dies nicht, weil er sich *für eine gute Sache*[121] einsetze; und dass es für eine gute Sache sei, fühle man, erläutert der Cousin. Kritisch hinterfragt Canetti auch dieses Gefühl. Und er spürt, so formuliert er es nachträglich, dass er hier jemandem begegnet ist, *der sich darauf verstand, Menschen zu Masse zu erregen*[122]. Ein weiteres Merkmal von Masse ist damit in einer Weise klar und einfach formuliert wie selten. Und in Karl Kraus als Vorleser ist Canetti diesem Phänomen auch begegnet; vielleicht hat ihm der Cousin dafür die Augen geöffnet.

1925, das Jahr darauf, nennt Canetti stets als den eigentlichen Beginn seiner Beschäftigung mit *Masse und Macht*. Die entscheidende vorläufige Einsicht hat er eines Nachts; er nennt es nachträglich seine *Erleuchtung*[123]. Er stellt die These auf, dass die Menschen neben den Grundbedürfnissen, ihren Hunger und ihr Liebesbegehren zu stillen, auch einen eigenen Massentrieb hätten. Die Anregungen der Freud'schen Triebvorstellungen sind unverkennbar. Anfang August des Jahres 1925 verbringt Canetti eine gute Woche allein in den Tiroler Bergen. Hier beginnt die Auseinandersetzung mit Freuds «Massenpsychologie und Ich-Analyse» von 1921. Eine Schrift, mit der Canetti ganz und gar nicht einverstanden ist, und ein wichtiger Gesprächspartner; seine eigenen

Massenvorstellungen basieren auf Gegengedanken und habe[n] deswegen auch einiges – freilich umgeschmolzen – von Freud be[wahrt. Eine zentrale Differenz zu Freud liegt in der Frage nach de[r] Motivation der Masse; sie bedarf nach Canettis Erfahrung un[d] Einsicht durchaus nicht eines Führers.

Die hautnahe Beteiligung an der Massendemonstration[12] vom 15. Juli 1927 in Wien wird unter anderem seine These bestät[i]gen. Dieser Tag ist Canetti obendrein ein Modellfall geblieben fü[r] das Elend, das im 20. Jahrhundert im größeren Maßstab und i[n] grausamerer Weise angerichtet wurde. Das Datum markiert eine[n] Wendepunkt in der Geschichte der ersten Republik Österreich[.] Bei sozialen Unruhen und Demonstrationen im Burgenland we[r]den am 30. Januar 1927 in Schattendorf zwei Anhänger der Sozia[l]demokraten, ein vierzigjähriger Mann und ein achtjähriger Jung[e,] aus dem Hinterhalt erschossen. Die Täter, Mitglieder der so g[e]nannten Frontkämpfer – den Freikorps der Weimarer Republi[k] vergleichbar, die ebenfalls einige Morde begingen –, werden vo[n] einem Geschworenengericht am 14. Juli 1927 von der Anklage de[s] «vorbedachten Mords» freigesprochen. Nicht einmal eine recht[s]kräftige Verurteilung wegen «ungewollter Tötung» kommt zu[]stande, sodass die Empörung besonders unter den Mitgliedern de[r] Sozialdemokratischen Arbeiterpartei Österreichs sehr groß ist. Di[e] angesehene Wiener «Arbeiter-Zeitung» titelt in ihrer Morgenaus[]gabe des 15. Juli 1927: «Die Arbeitermörder freigesprochen. De[r] Bluttag von Schattendorf ungesühnt.»[125] Die Spitze der Sozialde[]mokratie will zunächst abwarten. Das daraus folgende Schweige[n] haben wahrscheinlich viele nicht verstanden, wo doch der Leita[r]tikel der «Arbeiter-Zeitung», die sich als «Zentralorgan der Sozia[l]demokratie Deutschösterreichs» versteht, andere Töne anschläg[t] und die Justiz und ihr nahe stehende Kräfte im Staat warnt. Vo[n] mehreren Seiten bewegen sich am 15. Juli nun Demonstratione[n] auf den Justizpalast zu. Er wird angezündet, der Palast brennt lic[h]terloh. Der Wiener Bürgermeister Karl Seitz bemüht sich verg[e]blich, das zu verhindern. Daraufhin erhält die angerückte Polize[i] Schießbefehl. Das schreckliche Ergebnis: 90 Menschen sterbe[n,] 1000 werden verletzt.

Canetti schreibt: *Es war dieser Hohn auf jedes Gefühl von Gerec[h]tigkeit noch mehr als der Freispruch selbst, was eine ungeheure Erregun[g]*

Massenaufruhr vor dem brennenden Wiener Justizpalast,
15. Juli 1927

*n der Wiener Arbeiterschaft auslöste. Aus allen Bezirken Wiens zogen
die Arbeiter in geschlossenen Zügen vor den Justizpalast, der durch seinen Namen das Unrecht verkörperte. Es war eine völlig spontane Reaktion, wie sehr, spürte ich an mir selbst.* Canetti fährt schleunigst in die
Stadt und schließt sich *einem dieser Züge an. Die Arbeiterschaft, die
sonst gut diszipliniert war [...], handelte an diesem Tag ohne ihre Führer.*[126] Hier ist in der Canetti'schen Erinnerungsreihe in den ersten
beiden autobiographischen Erzählungen ein Höhepunkt zur Reflexion auf die Masse erreicht, der auch in der weiteren Ausarbeitung in *Masse und Macht* eine zentrale Rolle spielt. Die Masse handelt spontan und ohne eine Leitung, *ohne Führer.* Das richtet sich
gegen die Massentheorie Sigmund Freuds. Das richtet sich allerdings auch gegen die in Sofia beim Cousin Bernhard erfahrene
Macht des Einzelnen gegenüber der Masse. Was gilt nun? Verhält
sich die Masse derart widersprüchlich? Sind es verschiedene Massen, die so unterschiedlich reagieren?

   Canetti lässt solche Widersprüche bewusst bestehen, wie er
auch die unterschiedlichen Wertungen von Masse bestehen lässt

als eine Bestätigung für die ihm immer wieder klar werdende Ein sicht: *nichts ist geheimnisvoller und unvorstellbarer als die Masse*[127] Zwei wichtige Eigenschaften der Masse sind ihm obendrein vor diesem Tag an, den die *Woge*[128] der Masse erfasste, evident. Die Masse will nicht zerfallen, sie will als Masse bestehen bleiben Schüsse und Tote bringen sie nicht auseinander. Und das Feuer, dem er bereits als Kind begegnete, erlebt er jetzt erst eigentlich als das Element, das die Masse anzieht und sie als wichtigstes *Massen symbol*[129], wie er später sagt, zusammenhält.

Für seine Haltung gegenüber Karl Kraus haben diese Ereig nisse noch ein Nachspiel. In der Öffentlichkeit sind die Julierei nisse zwar nicht vergessen, aber die Politiker und Beamten, die für die vielen Toten und Verletzten verantwortlich sind, ziehen kein Konsequenzen. Im September lässt Kraus deswegen für einige Tage in ganz Wien ein Plakat anbringen mit der Aufforderung an den Wiener Polizeichef, er möge zurücktreten. Mit dieser mutigen Aktion, die herausragt aus dem sonstigen Stillschweigen der In tellektuellen, erreicht Kraus erst eigentlich seinen «Gottesstatus» bei Canetti. Er hat ihm zu dieser Aktion einen überaus euphori schen Brief geschickt oder schicken wollen. *An den gewaltigen Schutzgeist, an den einzigen Richter Wiens!*, lautet die Anrede, de Dank *von ganzem Herzen, ganzem Geist und ganzer Seele für Ihre Tat* die Schlussformulierung.[130]

Aber solche Götter werden irgendwann gestürzt. Dazu ver hilft Veza und dazu trägt Kraus selbst bei. 1933 übernehmen die Nationalsozialisten die Macht in Deutschland. Es wird sofort deut lich, mit welcher Brutalität diese Macht ausgeübt wird. Die Vereh rer von Karl Kraus warten auf seinen Kommentar zu den Ereignis sen. Schon im Jahr zuvor hat er sich jedoch von seiner früheren mehr oder weniger deutlichen Unterstützung der Sozialdemokra tie «hüben und drüben» losgesagt und ist in seinen Vorlesungen und Beiträgen in der «Fackel» ziemlich unpolitisch geworden Kraus schweigt. Im Herbst 1934 erscheint eine Ausgabe der «Fa ckel» mit einem Nachruf auf den Architekten und Freund Adol Loos und mit einem kurzen Gedicht, dessen erste zwei Zeilen lau ten: «Man frage nicht, was all die Zeit ich machte./ Ich bleib stumm»[131]. Ein halbes Jahr nach dem Beginn eines katholischen Faschismus in Österreich ist Kraus Ende Juli 1934 wieder da mi

em «Fackel»-Heft «Warum die Fackel nicht erscheint». Als Skan-
al betrachtet Canetti den berüchtigten Satz, mit dem dann die
Dritte Walpurgisnacht» in der hier abgedruckten Teilfassung
eginnt: «Mir fällt zu Hitler nichts ein.»[132] Canetti reagiert mit für
n typischer Heftigkeit: Empört nimmt er das «Fackel»-Heft, klin-
elt bei Karl Kraus, und als die-
er die Wohnungstür öffnet,
rirft er ihm das Heft wortlos
or die Füße. Kindisch sei dies,
och er habe seinem Zorn Luft
erschaffen müssen, erklärt er
päter.[133] Kraus wollte mit sei-
em Verhalten die Nazis nicht
eizen und insofern nicht dazu
eitragen, dass sie nach Öster-
eich kämen; so schwieg er.

Karl Kraus

Der Vorleser

Ich muß sie alle vereinen,
die ich einzeln nicht gelten lasse.
Aus tausend, die jeder was meinen,
mach' ich eine fühlende Masse.
Ob der oder jener mich lobe,
ist für die Wirkung egal.
Schimpft alle an der Gardrobe,
ihr wart mir doch wehrlos im Saal!

uch erschien ihm die mildere Variante des österreichischen Fa-
chismus als das kleinere Übel. Canetti ist nicht der Einzige, der
iese Taktik nicht versteht. Auch Bertolt Brecht ist in dieser Zeit
on seinem Freund, dem «Gott» Kraus, enttäuscht.

Wo Kraus für den jungen Schriftsteller Canetti versagt, ist die
eliebte bzw. die Ehefrau nun zur Stelle. Verachtet Kraus zum Bei-
piel Heinrich Heine unter anderem wegen dessen Engagement
n Feuilleton der Tageszeitungen, macht Veza dies «rückgängig»;
e schätzt Heine, was Canetti von ihr übernimmt. Er besucht Veza
äufig in der Ferdinandstraße. Auch sind sie regelmäßig im «Café
useum» anzutreffen. Canettis Mutter Mathilde hat ihre Mittler-
olle eingebüßt. Veza ist an ihre Stelle getreten.

IE LEHREN AUS BERLIN

en Sommer 1928 und, nach Abschluss seines Studiums, ebenfalls
en Sommer 1929 verbringt Elias Canetti in Berlin. Er sieht das
ntfesselte und vitale, an Gegensätzen reiche Leben der Metropo-
so intensiv und erschreckt, dass er schließlich froh ist, wieder
ach Wien zurückzukönnen. In Berlin lernt er George Grosz, John
eartfield, Wieland Herzfelde, Bertolt Brecht und viele andere nä-
er kennen. Seine Freundin Ibby Gordon verkehrt in diesen Krei-
n und führt Canetti dort ein. Im «Romanischen Café» und im

«Café des Westens», bei «Schlichter» oder bei «Aschinger» un
auf Abendgesellschaften erlebt er desillusioniert diese Geistesgrö
ßen, von denen er eine hehre Vorstellung hatte. Entsetzt ist er, das
Grosz sich in einer Abendgesellschaft gegenüber Frauen genaus
verhält, wie er es bei Geschäftsleuten und Militärs in seinen sat
rischen Bildern angeprangert hat.[134] Ungeheuer enttäuscht ist de
junge Chemiker und angehende Schriftsteller aus Wien vo
Brecht. Der schreibt für Geld! Hat er nicht mit dem Onkel Salomo
und der Mutter Auseinandersetzungen wegen des Mammons ge
führt? Jetzt erfährt er, dass Brecht Reklameverse schreibt, um ei
Auto dafür zu erhalten. Und als er sich entrüstet, wird er ausge
lacht. Er kann den Brecht'schen Zynismus nicht verstehen.[135] Al
den Tiefpunkt seiner Enttäuschung beschreibt Canetti seine Ein
drücke von der Erstaufführung der «Dreigroschenoper». Die *raf*
nierte Aufführung sei *der genaue Ausdruck dieses Berlin*[136]. Da das Mi
leid verhöhnt worden war, ist das Stück für den jungen – aber auc
den älteren – Canetti nicht akzeptabel. Mit dem Spruch, dass zu
erst das Fressen komme und dann die Moral, sei auch genau di
Berliner Szene getroffen.[1]

Das soll der Brecht sein
Und wegen der Qualität de
Gedichte etwa in der «Hau
postille» hat Canetti selb
das Gedichteschreiben fa
ganz eingestellt. Zum Glüc
gibt es in Berlin noch eine
Isaak Babel, der offensich
lich das ganze Theater de
Begierde nach Sex und Gel
nicht mitmacht. Der *jun*
Puritaner[138] – so bezeichn
sich Canetti selbst für die
Zeit – kehrt Berlin den R
cken und ist überzeugt, da
er dort in eine Meute vo
lauter Irren geraten war.

Bertolt Brecht, um 1930

Thomas Marek

Keinen Irren, aber wohl einen körperlichen Krüppel führt Canetti unmittelbar nach den Berichten aus Berlin dem Leser seiner autobiographischen Erzählung *Fackel im Ohr* noch vor, bevor er zur Entstehungsgeschichte seiner ersten Dichtungen übergeht. Es handelt sich um einen jungen Mann, den Canetti schon seit Jahren in Wien vom Sehen her kennt und den er bisher noch nie angesprochen hat. Es ist ein Mann, der sich nicht selbst bewegen kann, der nur liegt und der gepflegt werden muss. Dennoch liest er Bücher, die auf einem Gestell vor ihm stehen und die er mit der Zunge umblättert. Dieser Mann scheint nicht unbegabt zu sein. Regelmäßig kommt ein Professor zu ihm und gibt ihm Privatvorlesungen in Philosophie, er sorgt obendrein dafür, dass der junge Mann zu seiner sexuellen Befriedigung gelangt; er bezahlt eine Prostituierte, die sich dessen annimmt. Der extreme Gegensatz zwischen Körperbefindlichkeit und geistigen Fähigkeiten (und die Art der Triebbefriedigung) faszinieren ganz offensichtlich den jungen Canetti. Es hat diese Person für sich etwas extrem Groteskes. Canetti nähert sich dem jungen Mann schließlich doch einmal an und befreundet sich mit ihm. Er wird als ein existierender Mensch, in Wien lebend, dargestellt. Bis in die handschriftliche Reinschrift benennt Canetti ihn in allen Materialien der autobiographischen Erzählung mit seinem bürgerlichen Namen *Herbert Patek*[139]. Erst nachträglich verändert Canetti in der handschriftlichen Reinschrift den Namen in *Thomas Marek*[140]. Ob nun die Familie Patek, wenn es eine solche noch gibt, geschont werden soll, oder welches sonst die Gründe für die Namenserfindung sein mochten – die autobiographische Erzählung geht erneut von dem Versuch einer Wirklichkeitswiedergabe zur Fiktion über. Das hat nun nicht seinen Grund in einer unsicheren Erinnerung; es ist Wahrheit und Dichtung im Canetti'schen Sinn; die eigentliche Wirklichkeit soll durch den Dichter erst hergestellt werden.

ÜBUNGSSTÜCKE DES SCHREIBENS

Um sich den Lebensunterhalt selbst zu finanzieren und also nicht mehr vom Kapital der Mutter abhängig zu sein, übernimmt Canetti in Berlin die Verpflichtung, im Lauf der nächsten Jahre mehrere Übersetzungen aus dem amerikanischen Englisch anzufertigen. Es geht um Prosaarbeiten Upton Sinclairs. Auch wird er von Leiter des Malik Verlags, Wieland Herzfelde, beauftragt, Materia für eine Sinclair-Biographie zusammenzustellen. Das ist Broter werb; doch das soziale Anliegen Upton Sinclairs ist für Canetti si cher auch bedeutsam. Freilich nicht in einem programmatischer etwa marxistischen Sinn, wie er es in verschiedenen Schattierun gen im Umkreis des Berliner Malik Verlags bei Wieland Herzfelde John Heartfield und Georges Grosz oder auch bei Bertolt Brech kennen gelernt hat. Er selbst hat in einer Erzählung mit dem Tite *Wolf,* die im Nachlass erhalten ist, bereits ein wenig seiner grotes keren Behandlung von Wirklichkeit vorgearbeitet.

Im Malik Verlag war man mit den bisherigen Übersetzunge der Romane des berühmten Upton Sinclair nicht in allen Fälle zufrieden, weswegen Herzfelde nun den jungen Schriftsteller au Wien verpflichtet. In den Jahren 1928, 1930 und 1932 erscheine Canettis Übersetzungen, die beiden Romane «Alkohol» und «Leic weg der Liebe» – dieser Roman als Neuübersetzung des vorange gangenen Titels «Der Liebe Pilgerfahrt» – sowie ein Band mit Es says «Das Geld schreibt. Studien zur amerikanischen Literatur» Dass Canetti so schnell mit dieser Brotarbeit fertig ist, verdank er der kräftigen Mithilfe Vezas.[141] Auch liegt ihm jetzt in der Haup sache am Schreiben der eigenen Dinge. Seit Abschluss seines Stu diums im Sommer 1929 steht erst recht fest: Er will Schriftstelle werden.

Zwei kleinere Arbeiten im Sinclair-Zusammenhang sind vo einiger Bedeutung, denn es sind die ersten Publikationen von Ca netti überhaupt: Da ist einmal ein kurzer Essay zum 50. Geburt tag von Upton Sinclair, der 1928 in der deutschen Zeitschri «Querschnitt» erscheint.[142] Er ist ganz offensichtlich schnell g schrieben. Canetti bekennt später, er möge solche Auftragsarbe ten nicht[143] und er sei etwas bekümmert, dass dieser kleine Essa wieder ans Tageslicht gekommen sei. Er war wirklich so naiv a zunehmen, man werde diesen Essay vergessen.[144]

Es existiert ferner eine kleine Erzählung Upton Sinclai «Mein alter Freund» in der Übersetzung Canettis. Es ist die Ge schichte von Judd, einem Arbeiter, der zu bescheidenem Woh stand gekommen ist und so lebt, wie sich Marx die Aussichten au eine vollendete kommunistische Gesellschaft wünschte. Sincla bewertet seinen Helden nicht weiter. Die Short Story soll ganz offensichtlich zur Diskussion in der Linken anregen. Deswegen ist der Erscheinungsort dieser Übersetzung nicht ganz unwichtig. Veröffentlicht wird die Erzählung in der Jubiläumsnummer der «Mitteilungen der Sektion Favoriten des Verbandes der sozialistischen Studenten Österreichs» im November 1928.[145] Die ersten zehn Jahre der Republik Österreich und die ersten fünf der studentischen Sektion sollen mit dieser «Festnummer» der Zeitschrift gefeiert werden. Dass Canetti überhaupt in dieser Zeitschrift publiziert, ist ein Zeichen für seine Sympathie mit der österreichischen Sozialdemokratie. In den bisher veröffentlichten autobiographischen Erzählungen spielen solche Verbindungen allerdings kaum eine Rolle.

«Die Blendung»

Das zweite Mal aus Berlin zurückgekehrt, arbeitet Canetti nicht nur an den Übersetzungen, sondern vor allem an seinem Romanprojekt. Eine *Comédie Humaine an Irren* soll es sein, und unbescheiden, wie junge Männer sind, sollen es nicht weniger als acht Romane werden nach dem allerdings viel voluminöseren Vorbild von Honoré Balzacs «Comédie Humaine». Was bei Balzac die Repräsentanten der verschiedenen Gesellschaftsschichten in den Romanfiguren sind, sollen bei Canetti verschiedene menschliche Extreme darstellen.

Das literarische Projekt, von der Welt als einem Irrenhaus zu erzählen, ist durchaus nicht neu. Aus Berlin hat der Autor, wie erwähnt, den lange anhaltenden Eindruck mitgebracht, dort lauter Irre getroffen zu haben. Nun soll diese Erfahrung, verbunden mit vielen Einzelheiten und Begegnungen in Wien, ins Literarische umgesetzt werden. Das Besondere von Canettis vorläufiger Planung kennen wir fast nur aus seinen Erinnerungen. Im Bericht *Das erste Buch: Die Blendung*, abgedruckt in der wichtigen Sammlung von Reden und Essays mit dem sprechenden Titel *Das Gewissen der Worte*, zeichnet der Autor mehrere Stationen der Entstehung seines Romans nach und formuliert dann auf seine Weise die Erkenntnis der transzendentalen Obdachlosigkeit der Moderne. Er sei, schreibt er, gegen Ende der zwanziger Jahre zu der Einsicht gekommen, *daß die Welt nicht mehr so darzustellen war wie*

in früheren Romanen, sozusagen vom Standpunkt e i n e s Schriftsteller
aus, die Welt war z e r f a l l e n, und nur wenn man den Mut hatte, sie i
ihrer Zerfallenheit zu zeigen, war es noch möglich, eine wahrhafte Vor
stellung von ihr zu geben. [...] Ich faßte den Plan einer Comédie Huma
ne an Irren und entwarf acht Romane, um je eine Figur am Rande de
Irrsinns angelegt [...]. Ich sagte mir, daß ich acht Scheinwerfer baue, m
denen ich die Welt von außen ableuchte. [...] Es gab einen religiösen Fa
natiker darunter, einen technischen Fantasten, der nur in Weltraumplä
nen lebte; einen Sammler, einen von der Wahrheit Besessenen; auch eine
Verschwender; einen Freund des Todes und schließlich einen reinen Bü
chermenschen. [146]

Verwirklicht wurde von diesem Plan bekanntlich nur ein Ro
man, Elias Canettis großer Erstling *Die Blendung.* In diesen eine
Roman gehen nun freilich mehrere der acht ursprünglich geplan
ten Figuren ein. Die Zerfallenheit der Welt erscheint in der grotes
ken Gestaltung mit ihrer Übertreibung und Verzerrung der Figu
ren. In der spezifischen Fixierung der Hauptfigur Peter Kien au
eine extreme Form der Gelehrsamkeit und auf die Bücher komm
Canetti auf die lange Tradition der Büchernarren und der welt
fremden Gelehrten zurück. Für das 20. Jahrhundert heißt das: Le
ben und Denken eines Intellektuellen in der ihm fremden Wel
sind Gegenstand des Romans. Es erscheint diese Tradition hier i
der Figur eines weltweit berühmten Sinologen, der nichts andere
kennt als seine Bibliothek, das gelegentliche Erscheinen auf Kon
gressen und den regelmäßigen Tagesablauf in steter Begleitun
von wenigstens einigen seiner Bücher, die er ganz körperlich be
sich spüren muss. Als erste Gegenspielerin dieses Gelehrten tri
seine Haushaltshilfe Therese Krumbholz auf, die – wiederun
ganz traditionsgemäß – seine Ehefrau wird. Damit nimmt das Ur
heil der personalisierten Gelehrtenvernunft und seines Kosmo
seinen Lauf. Therese hat ihrerseits keinen blassen Schimmer vo
der Welt der Bücher und der Gelehrsamkeit und nimmt fatale
weise an, der Bibliotheksbesitzer und Gelehrte Kien sei reich. Wa
man mit ihrem Namen assoziieren könnte, ist auch in ihrem Äu
ßeren angelegt. Sie wird mit übergroßen Ohren und breite
Mund und einem für sie charakteristischen überdimensionale
blauen Rock geschildert und spricht stets dieselben Redewendu
gen und Sprachfloskeln. Weil sie aus Berechnung ein Buch nu

nit weißen Handschuhen anfasst, kann sie sich bei Kien ein-
chmeicheln und ihn heiraten. Der Rock steht schließlich für eine
:bene ihrer weiblichen Waffen, die sie gegen ihn einsetzt.

Ein Fanatiker der brutalsten Gewalt wird in dem ironisch so
;enannten *guten Vater*[147], dem Hausmeister Benedikt Pfaff, vorge-
ührt, zu dem am Ende Therese besser passt als zu Kien. Ähnlich
;rotesk wie diese Welt Kiens erscheint vom zweiten Teil an die
Welt von Hausierern, Gaunern, Dieben und Zuhältern, in der der
ude Fischerle, ein zwergenhafter Buckliger, als besonderer Führer
.giert und besessen die beiden Ziele verfolgt, auf allen legalen und
or allem illegalen Wegen Geld für eine Operation zu horten, um
einen Buckel loszuwerden. Danach, das steht für ihn fest, wird er
:chachweltmeister werden. In diese seltsame Figur und ihre Welt
ind literarische Tendenzen des 19. Jahrhunderts und insbesonders
Viener Erfahrungen Canettis eingegangen. Lediglich grotesker
ınd zugespitzter erscheint ebenso das Personal und die Erzähl-
velt eines Eugène Sue oder Émile Zola, wie mit dem Krüppel ein
iterarischer Nachfahre von Thomas Manns «Der kleine Herr Frie-
lemann» gegeben ist, in eine niedere soziale Schicht verstoßen.
)ie Gestaltung dieses Fischerle entspricht zudem möglicherweise
iner Wiener Tradition, die bis zu einem bösen zeitgenössischen
.ied zu verfolgen ist; dieses «Krüppellied» hat den sarkastischen
ιefrain: «Krüppel ham so was Rührendes, / Krüppel ham was Ver-
ührendes. / Wenn ich so einen Krüppel seh', / wird mir ums golde-
ıe Wiener Herz so warm und weh. / Eijoh!»[148]

Dass Fischerle Jude ist, wirkt nach den mörderischen Juden-
erfolgungen der Zeit des Nationalsozialismus sehr befremdlich;
s hängt wohl mit dem gespaltenen Verhältnis des jungen Canetti
um Judentum insgesamt und besonders zu einzelnen Juden
Viens zusammen.

Im dritten Teil des Romans taucht George Kien, der gute Bru-
er des Peter Kien, auf. Seine besondere Karriere als Arzt wird aus-
ührlich erzählt – mit einigen erneut extremen Besonderheiten.
r kommt, um seinen Bruder aus den Fängen der anderen zu be-
:eien. Das gelingt ihm zwar, Peter Kien allerdings nutzt seine
eue Freiheit zu nichts anderem, als sich seinen alten Traum zu er-
üllen: mit seinen geliebten Büchern eins zu sein; er verbrennt
ich mit ihnen.

Elias Canetti Anfang der 1930er Jahre

Atmosphärisch lebt der Roman von den in die Fiktion aufgenommenen wienerischen Spracheigenheiten und Handlungsorten.

Canetti beendet den Roman bereits 1931. Lediglich Titel und
Hauptfigur werden noch geändert. Zuerst heißt der Romanheld
Brand, danach *Kant*. In einem äußeren Sinn gleicht nämlich der
gelehrte Sinologe Peter Kien dem Königsberger Philosophen Immanuel Kant. Das entscheidendere Merkmal des Helden liegt in

einer Intellektualität, die nur auf einer begrenzten philologisch-wissenschaftlichen Vernünftigkeit basiert. Diese Eigenschaft so übertrieben einseitig einem Kant zuzuschreiben wäre sicher fatal gewesen. Auf das kluge Anraten Hermann Brochs streicht deshalb Canetti den Namen *Kant* und ersetzt ihn durch *Kien*. Der neue Name hat nun wie der ursprüngliche *Brand* erneut die semantische Beziehung zum Feuer, auf die es Canetti besonders ankommt, denn ein katastrophisches Ende, die Selbstverbrennung des Büchermenschen, stand von den ersten Entwürfen an fest. Das Romankonzept lässt keine andere Lösung zu, denn Canetti mag zwar die großen geschlossenen Systeme nicht, hier aber muss es eine Geschlossenheit par excellence sein, die das Wahnsystem des Peter Kien beendet.

Auch den früheren Romantitel *Kant fängt Feuer* ändert Canetti schließlich ab in den dann gültigen *Die Blendung*, womit eine weitere Tradition deutlich wird. «Engaño» oder «(Ver-)Blendung» ist das Merkmalswort für die Themen der spanischen Literatur des Goldenen Zeitalters. Die Handlung läuft dann in den meisten Beispielen auf «Desengaño», auf die versuchte oder gelungene «Entblendung» hinaus. Nicht nur in diesem Grundmotiv folgt Canettis Roman der spanischen Kunst – «Dichter brauchen Ahnen», und er hat sie doppelt, biographisch und künstlerisch, in Spanien.[149] Auf eine Formel gebracht heißt das auch: In Kien ist ein Don Quijote wieder erstanden, Fischerle kann als sein schrecklicher Sancho Pansa gelten.[150]

Es dauert vier Jahre, bis Canetti 1935 zufällig einen Mäzen[151] und dann auch einen Verleger für den Roman finden kann. Herbert Reichner, der Inhaber des gleichnamigen Wiener Verlags mit Niederlassungen in Berlin und Zürich, nimmt ihn zur Veröffentlichung an. *Die Blendung* erscheint, das Umschlagbild von Alfred Kubin gestaltet, im Oktober 1935[152] (das Titelblatt trägt allerdings die Jahreszahl 1936).

Schon früh wurde erkannt, dass dem noch nicht dreißigjährigen Canetti mit der *Blendung* ein genialer Wurf gelungen sei. Zunächst lesen den Roman jedoch nur wenige, darunter auch Thomas Mann. Canetti hatte dem Dichter bereits ein Exemplar der ersten Manuskriptfassung geschickt; nachdem Mann nun auch das Buch erhalten hat, antwortet er Canetti mit einem sehr freundlich anerkennenden Brief, der Canetti viel bedeutet.[153] In Wiener Kreisen wurde der Roman als eine neue experimentelle Schreibart begrüßt. Stilrichtungen der Tradition und der Moderne mischen sich in dem über manche Passagen gruseligen Text. Für die Klarheit der Sprache und der Komposition nahm Canetti sich Stendhals Werke zum Vorbild. Nach den Romanen von Virginia Woolf, James Joyce und Alfred Döblin ist es für Canetti selbstverständlich, dass sich der Erzähler mit seinen Figuren auch in erlebter Rede und innerem Monolog präsentiert. Vor allem ist es die Groteske, die das Merkmal der zerfallenen modernen Welt markiert. Im immer böser werdenden Ehekrieg zwischen Peter Kien und Therese Krumbholz gipfeln diese grotesken Züge des Romans deutlich. Letztere macht sich von Zimmer zu Zimmer in der Wohnung immer breiter. Sie ist nur noch auf sein Geld erpicht, was sich zu einem Ringkampf um Kiens Sparbuch am Ende des ersten Teils zuspitzt.

Mit solchen Szenen erfüllt die dem Roman innewohnende Canetti'sche Poetik keine politischen Erzählnormen der Zeit, und dennoch kann der Roman als Zeitkritik verstanden werden. Es stehen nämlich so gut wie alle Figuren des Romans – mit Ausnahme des Arztes George Kien – für eine Kritik an den starren, wandlungsunfähigen Menschen aller einseitigen Ideologien der damaligen Zeit. Die Figuren repräsentieren gerade diese Unfähigkeit zur Verwandlung, allen voran der Gelehrte Peter Kien. Figuren wie Therese und Fischerle ist allenfalls eine raffinierte Verstellung möglich. Der Roman zeigt auf diese Weise, warum in der Zeit vor Ende der zwanziger Jahre an die Katastrophe nicht aufhaltbar zu sein schien.

Die *Blendung* enthält auch den ersten literarischen Niederschlag von Canettis frühen Überlegungen zur Masse – von unveröffentlichten Skizzen oder tagebuchartigen Gedankengängen abgesehen. Im drittletzten Kapitel *Umwege* werden bestimmte Menschen der Zeit vom Ende der zwanziger Jahre, die sich mit Fragen der Masse abgeben, als *Scheuklappenherzen* oder *Menschen von Fracktemperament* bezeichnet. Sie hielten an den *Mehrheitssitten* fest, räsoniert George Kien, das Alter Ego Canettis im Roman. Und weiter: *Von der viel tieferen und eigentlichen Triebkraft der Geschichte, dem Drang des Menschen, in eine höhere Tiergattung, die Masse, aufzu-*

gehen und sich darin so vollkommen zu verlieren, als hätte es nie e i n e n Menschen gegeben, ahnten sie nichts.

Denn sie waren gebildet und Bildung ist ein Festungsgürtel des Individuums gegen die Masse in ihm selbst.[154]

Das ist für die Frage nach dem Wesen der Masse und für die Bewertungsdiskussion starker Tobak. In den Jahrzehnten nach dem Zweiten Weltkrieg wird sich beispielsweise H. G. Adler gegen diese Auffassung des Zusammenhangs von Mensch und Masse und gegen diese polemische Ausspielung des Individuums wehren.[155] Doch damit nicht genug. Canetti nutzt die Möglichkeit der Romanfiktion, weitere Gedanken zur Diskussion zu stellen. Es sind Thesen, deren eigentlicher Ausarbeitung er fortan sehr viel Energie widmet. In Mythen der so genannten primitiven Völker und Stämme und in Berichten darüber sucht Canetti in den beiden Jahrzehnten zwischen 1940 und 1960 das Material zusammen, das seine Überlegungen im Buch *Masse und Macht* dann konkretisieren und wohl auch belegen soll: *Den sogenannten Lebenskampf führen wir, nicht weniger als um Hunger und Liebe, um die Ertötung der Masse in uns. Unter Umständen wird sie so stark, daß sie den einzelnen zu selbstlosen oder gar gegen sein Interesse laufenden Handlungen zwingt. «Die Menschheit» bestand schon lange, bevor sie begrifflich erfunden und verwässert wurde, als Masse.*[156] Hier ist noch die frühe These durchzuhören, dass es einen Massentrieb gebe.

Die frühen Dramen – «Hochzeit»

Der Roman *Die Blendung* hat viel von einem Drama, wie Dramen lebt er immer wieder von Dialogen, und mit einer Art absolutem Dialog ohne Sprecherangaben setzt der Roman auch ein. Schließlich ist der Text auf das Ende hin gespannt und mit einer bewundernswerten Konsequenz durchgestaltet, wie es vor allem bei klassischen Dramen der Fall ist. Nach einem solchen Debüt ist es kein Wunder, dass Canetti nun auch Dramen schreibt. Neben der Arbeit an den Sinclair-Übersetzungen entsteht das erste Theaterstück mit dem lapidaren Titel *Hochzeit*, fertig gestellt 1932.

Im Handlungsverlauf zeigen fast alle Personen des Stücks materielle und sexuelle Gier. In sechs verschiedenen Wohnungen in einem mehrstöckigen Mietshaus agieren die Personen. Die Etagenbühne, die dafür vorgesehen ist, nimmt Anregungen aus ähnlichen Stücken auf – wie aus Johann Nestroys «Zu ebener Erde und im ersten Stock» oder Ferdinand Bruckners «Die Verbrecher». Die fünf Teile des Vorspiels zeigen Bewohner in fünf Wohnungen des Hauses, wo stets wenigstens eine Person Pläne schmiedet, um in den Besitz dieses Hauses in der ironisch genannten «Gütigkeitsstraße» zu kommen. Das Hauptspiel stellt dann eine Hochzeitsgesellschaft in einer Wohnung vor, in der alles andere als die gutbürgerliche Hochzeit eines eben getrauten Paares gefeiert wird. Auch dieses Thema hat im zeitgenössischen Drama einen Vorläufer, nämlich in Brechts Stück «Kleinbürgerhochzeit», wo am Ende die vom Bräutigam selbst gebauten Möbel zusammenbrechen und ein kleines Chaos mit einem ironischen «guten Ende» entsteht. Ein «Kopulationsreigen»[157] bildet bei Canetti den Vordergrund der Handlung, eine Reihe von bisweilen auf offener Bühne zu zeigenden sexuellen Kontakten, an denen fast alle beteiligt sind. Nur ein Mann, *Horch* mit Namen, und außerdem der Vater der Braut mit dem sprechenden Namen *Segenreich* halten sich da raus. *Segenreich* weist dauernd stolz darauf hin, dass er der Brautvater sei und – als Oberbaurat – das Haus erbaut habe. Gegen Ende des Stücks findet in der Hochzeitsgesellschaft ein Wahrheitsspiel statt, das in eine Katastrophe mündet; das Haus bricht zusammen, alle Einwohner kommen um mit Ausnahme des Papageis Lori, der nichts als *Haus, Haus, Haus!* plärrt; das sind auch die letzten Worte der *Hochzeit.* Im Gegensatz zu Brechts lächerlich angelegtem Schluss soll hier das Ende drastisch und eindrucksmächtig wirken.

Bei diesen Themen und diesem Plot könnte man annehmen, es handle sich um ein realistisches Drama nach der Art des Naturalismus oder um ein psychologisches und sozialkritisches Stück des ausgehenden 19. Jahrhunderts Schnitzler'scher Provenienz. Doch wie der mitspielende Papagei mit seinem Geschrei von *Haus, Haus, Haus!* zeigt, ist es eher ein groteskes, weil übertriebenes Spiel mit absurden Details, ein Spiel, das vom Zentrum des bürgerlichen Lebens, von dem eigenen Haus handelt und dort die verschiedensten Charaktere zusammenkommen lässt, wie das bei einer Hochzeit nun mal der Fall ist. Es treten die Hausbewohner und andere Figuren als Hochzeitsgäste auf; sie repräsentieren die durchschnittliche bürgerliche Welt Österreichs oder Deutschlands. Etwas wichtigere Personen tragen sprechende Namen wie

«Hochzeit». Aufführung des Deutschen Schauspielhauses
Hamburg

ler Professor *Thut*, die *Witwe Zart*, *Dr. Bock*, der Sargfabrikant *Rosig*
)der *Horch, ein Idealist*[158]. Die satirische Funktion wird in dieser
Namengebung deutlich. Heraus fällt die alte *Hausbesorgerin Ko-*
kosch, die im Sterben liegt; sie hat keinen Vornamen. Sie hat aber
vor allem eine wichtige andere Funktion: Ihr Mann lässt sie nicht
las sagen, was sie sagen will; er liest ihr ununterbrochen aus der
Bibel vor und macht sie damit mundtot. Während der Katastrophe
am Ende aber kommt sie schließlich zu Wort mit dem absurden
Hinweis auf einen Besen: *[...] Er läßt mich reden. Du, Mann, [...] sollst*
nicht schimpfen. Der Besen ist auf dem Boden.[159] Kurz darauf fällt während des Hauseinsturzes aus den oberen Stockwerken ein Mann
ns Bett der Kokosch. Und dann spricht sie einen Satz, auf den es
Canetti in diesem Stück besonders ankommt: *Und da hat er mich*
auf den Altar zogen und hat mich küßt und so lieb war er.[160] Es sei *der*
einzige Satz wirklicher Liebe, so Canetti. Auf diesen Satz hin, den er
n Wien von einer alten Frau auf einer Parkbank völlig zusam-
menhanglos aufgeschnappt habe, sei das ganze Stück geschrieben. Canetti nennt ihn *Gegen-Satz*; er ist als ein Hoffnungsbe-
standteil einer Sprache gedacht, die der formelhaft leeren, aber

doch gewalttätigen Sprache der anderen Personen entgegenge-
setzt wird.[161] Und eben das ist der Grundeinfall des Stücks: eine
Katastrophe der böse gierigen, lieblosen bürgerlichen Gesellschaft
zu erfinden auf diesen Liebessatz hin. Dass eine Komödie von
einem Einfall her entsteht, hat Canetti bei Aristophanes, dem
für ihn bedeutendsten Komödienschreiber, abgeschaut; das verbindet seine Stücke übrigens auch mit den Komödien Friedrich
Dürrenmatts. *Hochzeit* ist wie die Dürrenmatt'sche Komödie ein
Welttheater; man muss es dementsprechend als eine moderne Un-
tergangsparabel lesen – auf einen Untergang hin, den die Beteiligten selbst herbeireden. Darauf ist das Gesellschaftsspiel angelegt.
Dieses Spiel im Spiel soll nun die dramatische Situation steigern.
Die Figuren lassen ihre bisherigen Verhaltensweisen außer Acht
und glauben, sich zuerst gut darzustellen und vor dem Untergang
retten zu können. Das Spiel entlarvt sie, zeigt auf, was sich hinter
einer Maske verbirgt, das wahre Gesicht oder eine weitere Maske,
die zum Vorschein kommen. Da das Ganze über das Sprechen und
die Stimmen der Figuren gezeigt werden soll, hat Canetti in dieser
Zeit eine eigene Sprechtheorie entwickelt, die Vorstellung von der
akustischen Maske, die er wiederholt bei Lesungen konkret zu de-
monstrieren weiß.

Akustische Maske

Mehrmals liest Canetti das Stück in Wien und einmal auch Teile
in Prag vor. In einem inzwischen berühmt gewordenen Interview
mit der Wiener Zeitung «Sonntag» vom April 1937 erklärt er, was
er unter der *akustischen Maske* versteht.

> *Gehen Sie in ein Volkslokal, setzen Sie sich an irgend einen Tisch und
> machen Sie da die Bekanntschaft eines wildfremden Menschen. [...] Da
> werden Sie finden, daß Ihr neuer Bekannter eine ganz eigentümliche Art
> des Sprechens an sich hat. [...] seine Sprechweise ist einmalig und unver-
> wechselbar. Sie hat ihre eigene Tonhöhe und Geschwindigkeit, sie hat
> ihren eigenen Rhythmus. Er hebt die Sätze wenig von einander ab. Be-
> stimmte Worte und Wendungen kehren immer wieder. Überhaupt be-
> steht seine Sprache aus nur 500 Wörtern. Er behilft sich recht gewandt
> damit, es sind seine 500 Worte [...].*[162]

Wenn auf diesem Sprechprinzip überwiegend die Figurendar-
stellung eines Dramas beruht, so versteht es sich fast von selbst,

dass es dabei im Drama kaum Entwicklung geben kann. Ganz bestimmte Ereignisse lösen vielmehr Sprechveränderungen aus – einen Wechsel der akustischen Maske kann es also durchaus geben. In Analogie zur Vorstellung einer Gesichtsmaske spricht Canetti später in *Masse und Macht* vom *Maskensprung*, der sich wie eine Entlarvung ereignen könne.[163]

Das Besondere des Stücks ist also die Sprache der Personen. Ähnlich wie schon in den direkten Reden in der *Blendung* verfügt auch in der *Hochzeit* jede Figur nur über die zu ihr gehörenden besonderen Sätze und Formeln. Und wie im Roman, so sprechen jetzt die Personen aufeinander ein, ohne sich zu verstehen. Eine Welt wird abgebildet, in der nur noch Einzelinteressen gelten; es gibt keine Werte, die diese Menschenwelt noch zusammenhielte. Im ersten Bild treten zum Beispiel die Hausbesitzerin Gilz und ihre Enkelin Toni auf. Toni möchte das Haus erben. Man streitet sich ums Alter der Gilz. Ganz offensichtlich liegt der potenziellen Erbin an einem baldigen Tod der Hausbesitzerin. Die Großmutter aber rechnet Toni vor, dass sie mit 73 Jahren zwölf Jahre jünger sei als die im Sterben liegende fünfundsiebzigjährige Hausbesorgerin Kokosch. Die Gilz hält ihrer Enkelin auf die Kritik an ihrem Rechenfehler entgegen: *In mein Haus kann i rechnen, wiar i wüll.* Ganz analog ruft sie aus: *In mein Haus kann i hern was i wüll.*[164] Dass mit der eigenen Sprache die je eigene Weltwahrnehmung repräsentiert wird und dass mit den Sätzen wie mit Waffen aufeinander losgegangen wird, zeichnet das Stück aus.

Canetti hat für die Gestaltung einer solchen Sprache bei zwei Lehrern Anregungen erhalten. Der eine ist der ihm seit Jahren vertraute und verehrte «Gott» Karl Kraus. Aus den Vorträgen von Karl Kraus hat er gelernt, dass die Sprache als gesprochene Sprache, als Stimme, eine eigene Qualität hat. Die akustische Präsenz der Menschen und die Nachahmung für die Bühnenfiguren erfährt bei Kraus eine nie da gewesene Bedeutung. Canetti nennt es das *akustische Zitat*[165], das Kraus meisterhaft beherrsche. Als Modell dafür gelten sowohl die Vorlesekünste von Kraus als auch das Weltkriegsdrama «Die letzten Tage der Menschheit», in dem Kraus eine Fülle von Wiener Stimmen eingefangen und sie zu unvergesslichen, heute immer noch mit Grauen zu hörenden Szenen zusammengefügt hat.

Canettis relativ späte Entdeckung von Georg Büchners Frag
ment «Woyzeck», das von seiner erkannten Bedeutung und Wir
kung her recht eigentlich ein Drama des 20. Jahrhunderts ist, gib
die zweite Anregung für die Behandlung der Sprache im Stück
Hochzeit. Wenigstens zwei Merkmale von Büchners Stück macher
dessen Anziehung für Canetti aus. Da ist einmal die durchaus mi
Distanz, aber doch mit erkennbarer Sympathie Büchners gestalte
te Woyzeck-Figur als ein Geringer. Die Figur der Kokosch kann ir
Nachfolge dieser Sympathie gelesen werden. Canetti wird dies
Sympathie oder das Mitleid später in der Ausarbeitung seiner Vo
stellung von den Aufgaben des Dichters und der Forderung nach
Verwandlung *Empathie*[166] nennen. Die *Verwandlung* in die Gering
sten ist Canetti die wichtigste. Er hat sie unter anderem von Ho
mers Odysseus gelernt – als der Held heimkehrt, verwandelt e
sich in einen Bettler – und eben von Büchners Woyzeck.

Auch um sich der Macht zu entziehen, ist eine solche Ver
wandlung nach Canettis Vorstellung angebracht. Die Verwand
lung in sozial niedrig Stehende hat im jüdischen Verhalten ir
Zeiten der Not seine Vorgeschichte.[167] Darin mag auch eine *Selbs
anprangerung*[168] enthalten sein. Gleichzeitig sieht Canetti in
«Woyzeck», wie Sprache als Waffe benutzt werden kann; di
Büchner'schen Figuren führen einen in Sprache ausgetragener
Machtkampf aus. Davon wird Canetti ableiten, dass ein Dram
überhaupt diesen Machtkampf zeigen müsse. Wie Marek Przy
beck überzeugend ausgeführt hat, liegt in der Darstellung vo
Macht, wie sie später in *Masse und Macht* ausgearbeitet wird, Ca
nettis – nichtgeschriebene – Dramaturgie begründet.[169]

DIE FRÜHEN DRAMEN –
«KOMÖDIE DER EITELKEIT»

Die *Komödie der Eitelkeit* ist ein sehr politisches Stück. Es ist ein Ver
such, Mechanismen der politischen Gegenwart (vor allem i
Deutschland) dichterisch zu fassen und zu deuten. Die propagan
distisch gezielte und brutale Machtdurchsetzung im Deutsche
Reich von Januar 1933 bis zur Bücherverbrennung in den Unive
sitätsstädten am 10. Mai 1933 erscheint ins Drama transponier
Zunächst spiegeln sich einige historische Ereignisse in dem Ein
fall und der Haupthandlung der Komödie: Im ersten Teil des dre

Bücherverbrennung auf dem Opernplatz in Berlin am 10. Mai 1933

eiligen Stücks wird vorgeführt, wie Menschen auf einem Platz, ngezogen vom Feuer, auf ein erlassenes Verbot von Bildern und piegeln und auf den Befehl, Bilder und Spiegel zu vernichten, eagieren. Teil Zwei zeigt die weiteren Folgen, die sich aus dem Verbot ergeben: Es bildet sich eine Gruppe als Handlanger der nie rscheinenden Befehlsgeber. Die Gruppe tagt im Verborgenen, orgt für die Einhaltung des Verbots und für die Strafen bei Übertretung. Auf den Straßen spielen sich derweil die unterschiedlichsten Bildermangelszenen ab. Der dritte Teil schließlich demonstriert in einem Spiegelbordell, wie aus der geheimen Übertretung des allgemeinen Bilderverbots eine Art Revolution gegen die befohlene Ordnung entsteht. Aus den Wir-Rufen des Anfangs, die die neue Kollektivität einpeitschen, ist nun am Ende ein vielfältiges Ich-Rufen geworden, das im Dramentext von der Bemerkung begleitet wird: *Es wird kein rechter Chor daraus.*[170] Das ist nicht der Chor der Bürger nach ihrem Mord wie am Ende von Dürrenmatts «Besuch der alten Dame», aber es ist zugleich der Verweis auf die antike Tragödie und ihre Ordnung, die im 20. Jahrhundert nicht mehr möglich ist.

Sind es in *Hochzeit* 27 mitspielende Figuren, so erhöht sich die Rollenzahl noch einmal für die *Komödie der Eitelkeit* auf 29 Charaktere. Diese relativ hohe Zahl an Mitwirkenden ist jetzt nötig für das Canetti'sche Thema schlechthin: die Masse. Gezeigt werden anfangs Einzelne oder Gruppen aus der Masse; im Verlauf des ersten Teils wird sich die Bühne immer mehr mit Figuren füllen, lauter «Massenkristalle», wie Canetti später sagen wird.[171]

Am Ende des dritten Teils ist dann eine Masse wie die einer großstädtischen Demonstration zu sehen, was auf der Bühne der Zeit – etwa von Erwin Piscator – mit Filmprojektionen dargestellt wird. Auf diese Weise kann das Canetti-Stück auch sehr bühnenwirksam inszeniert werden.

Beide frühen Stücke Canettis sind Stücke der Großstadt; ihr Spielorte Räume der Großstädte, Innen- und Außenräume: in der *Hochzeit* ein Haus, das mit seinen Zimmern wie eine dritte Haut die Menschen schützt, bevor es in der Katastrophe zerbricht; in der *Komödie der Eitelkeit* Plätze und Straßen, die den Innenräumen dort gegenüberstehen. Viele der Canetti'schen Figuren kommen mit ihrer Sprache zwar aus dem Wienerischen, sie repräsentieren aber – derart verortet – durchaus sehr allgemeine moderne Lebensverhältnisse.[172] In solcher Allgemeinheit ist auch Canetti Komödienbegriff zu verstehen; er zielt auf ein Weltspiel in der Tradition des spanischen und österreichischen Welttheaters und hat gewisse Analogien zu Dantes «Divina Comedia».

Die beiden frühen Dramen Canettis haben keine glanzvolle Rezeptionsgeschichte. Die *Hochzeit* kann der Autor zwar in einer Theaterausgabe drucken lassen[173] und über verschiedene Lesungen einem kleineren Kreis in Wien und in Prag bekannt machen, doch es gibt über drei Jahrzehnte lang keine Aufführungen. Erst 1965 wagt sich das Braunschweiger Staatstheater an die Canetti schen Stücke. Bei der Aufführung der *Hochzeit* kommt es dann zu einem Skandal, der einem gewissen miefigen Kulturklima der Adenauerzeit entspricht: Der Autor wird wegen unzüchtiger Darstellung auf der Bühne von einem Zuschauer angezeigt. Theodor W. Adorno, Walter Jens und Günter Grass nehmen dagegen Stellung; das Gericht lehnt eine Verurteilung Canettis ab. Protest und einen Skandal gibt es auch noch in Wien 1979.

CANETTI IN DEN DREISSIGER JAHREN

Für Elias Canetti sind die frühen dreißiger Jahre voller wichtiger Ereignisse privater und öffentlicher Art. Er schließt seine ersten Dichtungen ab; er lernt wichtige Künstler kennen. Er verliebt sich leidenschaftlich in Anna Mahler, die Tochter von Gustav Mahler und Alma Mahler-Werfel. Sie löst sich jedoch bald wieder von ihm, und er heiratet dann doch Veza Taubner-Calderon.

Auf der anderen Seite die maßlose Enttäuschung von Karl Kraus. In Deutschland hat das brutale Regime des Nationalsozialismus zu herrschen begonnen und in Wien sind die braunen Wolken des Faschismus aufgezogen. Mit seiner acht Jahre älteren Frau zieht er in die gemeinsame große Wohnung nach Grinzing. Doch hier am Stadtrand gibt es nur wenig äußere Ruhe. Beide schreiben weiter und setzen ihre Besuche in Cafés fort; bevorzugt wird das «Café Museum». Hier und auf literarischen Veranstaltungen begegnen die Canettis den verschiedensten Menschen, von denen einige Freunde werden. Elias unternimmt in den dreißiger Jahren auch relativ viele Reisen.

Und die dreißiger Jahre beschreibt Canetti auch in seinem dritten autobiographischen Erzählband *Das Augenspiel*. Im Vergleich zu den beiden vorangegangenen Bänden ist dieser weniger gefällig und weniger von grotesken und spannenden Familienge-

Alma Mahler-Werfel und ihre Tochter Anna Mahler, in 1930

83

schichten gekennzeichnet; *Augenspiel* reiht mehr Porträt an Po
trät, erzählt von berühmten Menschen und lädt den Leser ein, m
anzusehen, wen Canetti alles gekannt und gesprochen hat – ei
Augenspiel ganz eigener Art, das naturgemäß fast alle Autobiogr
phien provozieren. Teilweise führt Canetti einen Zoo vor: Broc
sieht er als Vogel, dessen Freundin Ea von Allesch hat den *Kopf[..*
eines Luchses; Manon Gropius tritt als *Gazelle* auf, und Franz Werfe
sieht er mit dessen *Froschauge* und dem *Mund eines Karpfens*. De
Bildhauer Wotruba ist ihm ein *schwarzer Panther.*[174] *Augenspiel* is
vielleicht auch deswegen anders, weil die beiden ersten Bänd
einen derartigen Publikumserfolg erreichen, dass es Canetti u
heimlich damit wird: Da konnte etwas nicht stimmen, wenn e
Bestsellerautor wurde! Das *Augenspiel* ist häufig auch sehr viel bi
siger, böse Satire ist manches Kurzporträt. Über Alma Mahle
Werfel zieht der Autor her[175]; auch reizt eine gewisse Bürgerlich
keit der Porträtierten zum satirischen Blick, womit Canetti in die
ser späten autobiographischen Erzählung dem Drama *Hochze*
nahe kommt. An Rabelais geschult, mag der kritische Satz auf di
damalige Gesellschaft hindeuten: *Wo das Denken e i n s e t z e n sollt*
quakte ein vorlauter Chor von Fröschen.[176]

HERMANN BROCH

Der Autor der «Schlafwandler»-Trilogie ist der wichtigste Dichte
den Canetti Anfang der dreißiger Jahren kennen lernt. Er ist fa
zwanzig Jahre älter und wird von ihm wegen der «Schlafwan
ler», die noch nicht sehr lange bekannt sind, bewundert. Wie C
netti kommt Broch aus einem jüdischen Kaufmannshaus. Es sin
darüber hinaus viele ähnliche und gleich ausgebildete Intere
sen, die beide verbinden. Doch Broch liebe im Gegensatz zu ihr
den Begriff, schreibt Canetti.[177] Und vor allem trennt sie Sigmun
Freud. Es ist unvorstellbar, dass Canetti eine Psychoanalyse a
zeptierte, wie Broch dies in Wien und später erneut in den US
tut.

Broch wird 1932 auf Canetti aufmerksam. Er kommt zu ein
privat arrangierten Lesung der *Hochzeit*. Nicht viel später füh
Broch den jüngeren Kollegen bei einer Lesung in der Leopoldsta
ein und macht so als Erster öffentlich auf Canetti als einen ern
zu nehmenden Schriftsteller aufmerksam.[178] Zwischendurch fü

Hermann Broch,
um 1934

en die beiden Dichter ein Gespräch über die Frage, wer ein guter
Mensch sei.[179] Für Canetti scheint es ausgemacht, dass dafür kaum
ein anderer als Abraham Sonne in Frage komme. Sie lernen Sonne
bei dem Maler Georg Merkel – ebenfalls ein Kandidat für den guten Menschen – kennen.

Broch sieht in Canettis Arbeit der Massenpsychologie wenig
Sinn; er versucht vergeblich Canetti zu überreden, lieber nur Dramen zu schreiben.[180] 1934 liest Canetti im Privathaus des Verle-
gers Zsolnay seine *Komödie der Eitelkeit* vor. Bei dieser Gelegenheit
scheint Broch Canetti als Liebhaber von Anna Mahler abgelöst zu
haben. 1938 trennen sich ihre Wege. Broch muss wie die Canettis
Wien verlassen; er flüchtet jedoch schon früher, bleibt im Frühjahr nur kurz in England und geht dann in die USA. Sie schreiben
sich noch ein paar Briefe und halten Kontakt über gemeinsame
Freunde in London. Anfang der vierziger Jahre bemüht sich Broch
für beide Canettis vergeblich um einen USA-Aufenthalt.

Broch stirbt bereits 1951 in den USA. Canetti wird seinen
Dank an Broch öffentlich entrichten – in seiner kurzen Ansprache
zur Verleihung des Nobelpreises 1981.[181]

Doch im November 1936 kann Canetti Broch bereits eine[n] Freundschaftsdienst erweisen. Hielt der 1932 zum 50. Geburtsta[g] von James Joyce eine programmatische Rede, so geht der junge Ca[-] netti nun ans Rednerpult, um den Älteren zu dessen 50. Geburts[-] tag zu feiern.[182] Was Canetti bei dieser Gelegenheit vorträgt, is[t] zum großen Teil auch sein dichterisches Programm, das er sein Le[-] ben lang einzuhalten versucht. Zudem setzt er Eindrücke, die e[r] von Brochs Person gewonnen hat, in die Beschreibung der Poeti[k] Brochs um. *Über die Gegenwart, eine Zeit der Gegensätze, über dies[e] schreckliche Zeit müsse der Dichter handeln*, so Canetti. *Zugleich auc[h] über die Geschlechtlichkeit, mit der wir geschlagen sind, und zugleic[h] darüber, daß diese Spaltung nicht noch tiefer reicht. Über den Tod, de[n] wir nie wollen, und zugleich darüber, daß wir nicht schon im Mutterlei[b] aus Gram über unsere kommenden Dinge sterben.*

Die Art, wie sich der repräsentative Dichter seiner Zeit gege[n]über verhalten soll, sieht Canetti als *Laster*: *Dieses Laster verbind[e] den Dichter so unmittelbar mit seiner Umwelt, wie die Schnauze de[s] Hund mit seinem Revier.* Wieder begegnet man der Canetti'sche[n] Idee der Verwandlung ins Niedrige. Der Forderung nach Verwand[-] lung ordnet Canetti dann die traditionellen Vorstellungen vo[n] «Originalität» und «Universalität» zu, die nun freilich ein weni[g] anders als in der Geschichte auszusehen haben. Zur Originalitä[t] gebe es nichts herumzuüberlegen; man hört die Mutter durc[h] Canetti sprechen, wenn er auf die alte Genielehre zurückgreif[t] *Ein Dichter ist originell, oder er ist gar keiner.*[183] So hatte sie es übe[r] Shakespeare und Schiller formuliert.[184]

Dass sich Canetti mit dem Tod ausführlicher beschäftigt, is[t] nicht verwunderlich, für den Dichter fordert er: *Seine ganz konkr[e] te Passion muß [...] auch auf natürliche und eindeutige Weise in jede[r] ihrer Schwingungen den Tod verraten. Denn so nährt sie ja den unau[f] hörlichen, unerbittlichen Widerspruch gegen die Zeit, die den Tod verhä[t] schelt.*[185]

Die Abschlussüberlegungen sind dann von besonderer Ein[-] fachheit und Raffiniertheit zugleich, wenn Canetti noch einma[l] auf das Laster zu sprechen kommt. Brochs Laster *sei alltäglicher a[ls] Tabakrauchen, Alkoholgenuss und Kartenspielen, [...] Brochs Laster i[st] das Atmen*[186]. Und vom Atmen hebt Canetti auf die Eigenart de[r] persönlichen Präsenz Brochs ab, auf sein – fast ein Celan'sche[s]

Wort – *Atemgedächtnis. Die Luft ist die letzte Allmende*[187], sagt Canetti, und Broch mache davon Gebrauch mit dem Eintauchen ins Atmosphärische, wie es aus Indien überliefert sei, wie es die moderne Zivilisation aber verlernt habe. Am Ende sieht Canetti für die Zukunft einen Gaskrieg voraus wie den, aus dem Broch mit dem Ersten Weltkrieg gekommen sei.[188] Dass das Wort «Gas» im Zusammenhang mit Atmen und Luft noch viel fürchterlichere Dimensionen im Konzentrationslager erreichen wird, ist im Pessimismus Canettis von 1936 noch nicht enthalten.

Aus dem Umkreis Canettis und Brochs in den dreißiger Jahren muss noch der schon erwähnte gemeinsame Bekannte vorgestellt werden: der weise Abraham Sonne, der eigentlich Avraham Ben Yitzak heißt und heute als einer der wichtigsten Erneuerer der hebräischen Lyrik in der Moderne gilt. Sonne – ich benutze den Namen, den Canetti und einige seiner Bekannten ihm gaben – stammt aus Przemyśl in Ostgalizien; er wurde dort 1883 geboren, als das Gebiet noch zur Habsburgermonarchie gehörte. Er wuchs dort auf und ging dann zum Studium nach Wien und Berlin. Er engagierte sich für den Zionismus und wurde noch vor dem Ersten Weltkrieg Dozent für hebräische Literatur in Jerusalem. Nach einem Unfall kehrte er von dort nach Europa zurück und wirkte in verschiedenen jüdischen Organisationen. 1919 gab er wegen politischer Differenzen alle öffentlichen Tätigkeiten auf und wurde bis zum Jahr 1938 Leiter des «Hebräischen Pädagogiums» in Wien. Zwischendurch erkrankte Sonne an Tuberkulose; auch er musste 1938 Österreich verlassen und flüchtete nach Palästina. 1950 starb er in einem Sanatorium in der Nähe von Jerusalem.[189]

Abraham Sonne

Als Canetti diesen vornehmen, wegen einer früheren Verletzung stets ein wenig steif wirkenden Herrn eineinhalb Jahre lang täglich im Café Museum sitzen sieht, weiß er von alledem nichts, der Herr fällt ihm nur wegen seiner interessanten Schweigsamkeit und einer gewissen Ähnlichkeit mit Karl Kraus auf. Auch nach den 1934 beginnenden vier Jahren ihrer Bekanntschaft und in der fünfzig Jahre später verfassten Erinnerung an Sonne kommen nicht viel mehr biographische Details vor. Wir erfahren zusätzlich, was Canetti zugetragen wird – dass Sonne das großväterliche Vermögen Flüchtlingen zukommen ließ, so wie Ludwig Wittgenstein das väterliche Geld verschenkt habe.

Worauf es Canetti aber ganz wesentlich ankommt, ist, dem Leser ein unantastbares Bild von Sonne als eines überaus gebildeten Weisen zu vermitteln, der für ihn die Rolle bekommt, Karl Kraus als Vorbild abzulösen. Mit vielerlei Einzelheiten greift dieser gute Mensch offenbar in Canettis Bildungsweg ein. Er scheint über alles und alle Bescheid zu wissen und spricht darüber ohne *Anklage* und *Forderungen*.[190] Sie diskutieren viel über die neue Bibelübersetzung von Martin Buber. Sonne ist ein perfekter Kenner des Hebräischen und weiß Canetti mit seinen Übersetzungen zu beeindrucken. Überhaupt sei es die gesprochene Sprache, die Sonne in einem sehr hohen Grad beherrsche. Zu dieser Zeit liest Canetti Musils «Mann ohne Eigenschaften» in der Ausgabe von 1932. Er ist begeistert – zu Sonne und Musil schreibt Canetti dann den enthusiastischen Satz: *Dr. Sonne sprach so, wie Musil schrieb.*[191]

Über zwanzig Seiten lang ist Canettis Sonne-Porträt. Hier ist keine satirische Bissigkeit zu spüren, im Gegenteil: Er porträtiert Sonne wie einen Heiligen bzw. wie Goethe Baruch Spinoza gestaltet hat.[192] Es wird verständlich, warum seine damalige Lehrerin und Ehefrau Veza Sonne nicht mag; er nimmt ihr zu viel Raum ein bei ihrem Elias, den sie wenigstens in einem geistigen Sinn für sich allein haben möchte.

CANETTI UND DIE BILDENDE KUNST

Zu den weit gespannten Interessen Canettis gehören schon früh die bildenden Künste. Nicht dass er selbst je Maler oder Bildhauer hätte werden wollen, aber er hat einen Blick für alles, was eine Beziehung zu seinen Arbeitsschwerpunkten herstellt. In Zürich be eistert er sich für Michelangelo derart, dass er sogar eine Schaffenstheorie von ihm und seinem Werk ableitet.[193]

Wien schließlich ist auch eine Stadt der bildenden Künste, und es wäre seltsam, wenn ein junger Mann hier an der Pracht der verschiedenen Museen unbeeindruckt vorüberginge. Während eines Chemiestudiums stößt Canetti im Liechtenstein-Palais, das nicht sehr weit von den chemischen Instituten entfernt liegt, auf Pieter Breughel. Von der kleinen Gruppe der «Sechs Blinden», die aneinandergehängt dahinstolpern, und vom «Triumph des Todes» ist er ungeheuer angerührt. In *Die Fackel im Ohr* hat er später diese Bilder in den für ihn wichtigen Themenzusammenhängen charakterisiert.[194] Canettis Beschreibungen und Deutungen sind vom hohen Wert der Kunst geprägt, von der Vorstellung, dass Kunst der alltäglich erfahrbaren falschen Wirklichkeit die richtige entgegensetze.[195] Zu den Bilderfahrungen aus der Studienzeit gehört auch Rembrandts «Die Blendung Simsons», das dann mit dem biblischen Text in seine ersten dichterischen Arbeiten hineinwirkt. 1927 macht Elias Canetti auf seiner Rückreise von Paris, wo er die Familie besucht hat, im Elsass Station und schaut sich in Colmar den Isenheimer Altar Matthias Grünewalds an. Wie auf einige andere Intellektuelle der Zeit macht der Christus in seinem Auferstehungslicht einen großen Eindruck auf Canetti; und besonders angetan hat es ihm die Versuchung des hl. Antonius. Alle diese Werke sprechen ihn in ihrer unmittelbaren Bildsprache an, da er nicht begriffsfixiert ist, scheint er auch eine spezifische Offenheit für die Bilder zu haben.

In den dreißiger Jahren lernt Canetti in Wien zwei Künstler kennen, die ihn auf unterschiedliche Weise für sich einnehmen. Zum einen Anna Mahler, von der bereits die Rede war. Sie war ursprünglich im Fach ihres Vaters tätig und widmete sich ganz der Musik. Sie wurde dann als Schülerin Georgio de Chiricos Malerin und als erste Schülerin Fritz Wotrubas Bildhauerin. Doch eigentlich ist es Wotruba selbst, der Canetti die Augen für die Plastik öffnet. In seinem Wotruba-Buch von 1955 vergleicht Canetti dessen Kunstschaffen

Der Künstler kann es sich nicht aussuchen, wohin er gehen will, die Entscheidung liegt nicht bei ihm. Maßgebend ist der Zwang, der Druck, unter dem ein Werk zustande kommt […].
Fritz Wotruba:
Die ersten Zeichnungen

Fritz Wotruba:
«Großer Gehender».
Bronze, 1952

mit der Schöpfung überhaupt; es sei ein Ur beginn, wenn Wotruba etwas aus dem Stein herausschlage. *Seine Werke haben die Wuch des Archaischen und die Spannung unsere stärksten Instinkte.* Das mag man noch zu je dem Bildhauer sagen; Canetti kommt dan auf den Künstler Wotruba und desse Selbstverständnis zu sprechen. *In Wirklich keit ist er ein schwarzer Panther, der unter d Menschen verschlagen worden ist. Wie ein Wildkatze im Käfig fühle er sich in Gefangen schaft und müsse gegen diese mit seiner Arbe ankämpfen.*[196] Auf einzelne Plastiken geh Canetti dann ein, auf Wotrubas Behand lung der menschlichen Gestalt. Ihm fällt da bei auf, dass ein großer Teil der Figuren arm los ist. Einige seien auf diese Weise *plastisc unschädlich gemacht worden*[197]. Besondere Eindruck hinterlässt Wotrubas «Große Gehender». Es sind die Dimensionen un die Beschaffenheit der menschlichen G stalt, die Canetti in den fast dreißig Jahr später geschriebenen autobiographische Erzählungen weiter ausführt: Wotruba ist das letzte von acht Kin dern. Der Vater war äußerst gewaltsam und prügelte die Kinder he tig. Auf diese Weise schlug er sie zu Verbrechern, einen Bruder soga zum Mörder, so Wotruba. Nun sei er voller Angst, von dieser G waltsamkeit etwas geerbt zu haben. Diese Angst leite er in sein Arbeit ab, und deswegen habe er sich im Stein den stärksten Wide stand gesucht. Die Formen und die Art, wie Wotruba mit dem Stei umgehe, vergleicht Canetti mit dessen Verzehr von Schnitzel Immer schneide er kräftige viereckige Stücke und esse ein Schni zel nach dem anderen. Und bei der Arbeit sei es dann so, als ob e sich *in Stein verbeiße*. Ja, eigentlich sei es ein *Mord, den er einem vo führe.*[198]

Dieses gesamte Beschreibungsinstrumentarium Canettis ha in der Darstellung von Macht in *Masse und Macht* seine Parallele Die Kunst erscheint also als eine spezifische Äußerung von Mach

n diesem theoretischen Aspekt kommt Canetti hier einigen spä-
eren Denkern wie etwa Michel Foucault ziemlich nahe.

Canetti und Wotruba verbringen in den dreißiger Jahren sehr
iel Zeit miteinander. Canetti nennt den Bildhauer auch seinen
willing[199], was wie eine Übertreibung vorkommen mag. Doch da-
nals sind beide von einer ähnlichen Unbedingtheit getrieben, ihre
rbeit sehen sie ganz in Wien verwurzelt. Ein tieferer Grund mag
arin bestehen, dass Canetti das paranoische Gefangenschaftsge-
ihl Wotrubas auch in sich selbst spürt; beide müssen mit Macht
mgehen und sind von den damit einhergehenden Ängsten nicht
ei. Canetti äußert das am klarsten bei seiner Lektüre der «Denk-
ürdigkeiten eines Nervenkranken» von Daniel Paul Schreber.[200]
lit Robert Musil ist Wotruba jedoch sehr viel enger befreundet ge-
esen. Ob sich die Canetti'sche Übertreibung aus einer stillen
ifersucht herleitet? Canetti macht im April 1935 die beiden mit-
inander bekannt.[201]

1938 geht auch Wotruba ins Exil; er flüchtet wie Musil in die
chweiz. Es geht dem Bildhauer dort nicht so schlecht wie dem
chriftsteller. In den fünfziger Jahren treffen sich Wotruba und
anetti wieder: In London besucht Wotruba Henry Moore, und

Fritz Wotruba, 1948

Canetti, der gerade ein Buch über Wotruba schreibt, begleitet ih
als Dolmetscher. Ende der sechziger Jahre wird Canetti mit e
nem weiteren Bildhauer bekannt werden, mit dem Wotruba-Sch
ler Alfred Hrdlicka. Zu einer Reihe von Radierungen Hrdlick
schreibt Canetti auch einen Essay, der zusammen mit einem G
spräch der beiden veröffentlicht wird.[202]

Die dreißiger Jahre bringen dem jungen Elias Canetti die erste
literarischen Erfolge. Durch die Lesungen seiner Dramen wir
er in einigen Wiener Kreisen bekannt. Ein erster Durchbruch i
mit der Drucklegung der *Blendung* im Herbst 1935 erreicht. Es i
erstaunlich, wie häufig er nun Wien verlässt. Es schaut so aus, a
sei eine große Unruhe in ihm; vielleicht ist es ein Doppeltes, w
an ihm nagt: privat die Demütigung durch Anna Mahler – noc
1980, als er am *Augenspiel* schreibt, ist sie ihm eine *Wunde*[203]. Un
in einem allgemeineren Sinn die zunehmende Bedrohung durc
die politische Entwicklung in Europa. Von 1933 an unternimm
Canetti fast jedes Jahr eine Reise nach Frankreich. Da er kau
Geld hat, wird er stets eingeladen worden sein. Im Sommer 193
ist er das erste Mal zu Gast in Straßburg, in der dortigen Akadem
für moderne Musik von Hermann Scherchen.[204] Er bewunde
Straßburg und wandelt bewusst auf Herders, Goethes und Len
Spuren. Möglicherweise beginnt er in dieser Zeit ein Lenz-Dr
ma.[205] Im Sommer 1934 reist Canetti nach Nordfrankreich un
fährt bis Dieppe im Norden der Normandie. Über diese Reise i
sonst nichts weiter bekannt. Im Februar/März 1935 hält er sich e
neut in Nordfrankreich auf. Er besichtigt einige Kathedralen.[206]

1935 besucht Canetti zudem die Familie in Paris, wo er d
Mutter verschweigt, dass er Veza geheiratet hat. Das scheint i
Moment auch nicht weiter zu interessieren, denn sein Roman i
fertig, und den rechnet sich Mathilde Canetti fast als ihr Produk
jedenfalls als ihr Verdienst an.

1937 im Mai ist Canetti in Prag, gerade erschien *Die Blendu*
in tschechischer Übersetzung. Er wird deswegen von Hans Gü
ther Adler, der bei einem Volksbildungswerk beschäftigt ist, ei
geladen.[207] An diesen Orten bleibt Canetti nicht eben nur eine W
che oder vierzehn Tage, sondern manches Mal mehrere Monate.

Den Pragaufenthalt muss er vorzeitig abbrechen; Mathil

Canetti liegt in Paris im Sterben. Ein letztes Mal wird er mit ihrer Feindschaft, aber auch mit seiner Schuld ihr gegenüber konfrontiert. Nach ihrer Beerdigung auf dem Cimetière du Père Lachaise fährt er mit dem Bruder Georges an die Loire. Dass er etwa zur gleichen Zeit Onkel geworden ist – die Frau seines Bruders Nissim hat in Paris eine Tochter zur Welt gebracht[208] –, erwähnt Elias Canetti nirgends. In den Familienbeziehungen sind ihm sonst gelegentlich die Vergleiche mit den Brüdern wichtig.[209] Das Unternehmen der autobiographischen Erzählungen ist mit dem Tod der Mutter am Ende des dritten Bandes vorläufig abgeschlossen. Der erste Band setzt neben das erzählende Ich den Vater ins Zentrum, nach dessen Tod die Mutter; der zweite Band geht von der Mutter zu Veza Taubner-Calderon und Karl Kraus über, der dritte versammelt dann neben dem Erzähler-Ich Anna Mahler und Friedl Benedikt, Abraham Sonne, Fritz Wotruba und Hermann Broch. Die erst posthum erschienene autobiographische Erzählung *Party im Blitz* ist von anderem Zuschnitt und gehört möglicherweise in eine andere Reihe, von der bisher noch nichts bekannt ist.

Im Lauf des Jahres 1938 werden die politischen Verhältnisse in Österreich katastrophal. Die Nationalsozialisten setzen sofort nach dem «Anschluss» ihre neuen Gesetze gegen die Juden durch, und dies in einem Tempo und mit einer Gewalt, wie sie es so nicht einmal zuvor in Deutschland taten. Die Canettis bleiben noch bis zum Herbst.[210] Von einem Nazi, Pichler mit Namen, werden sie aus ihrer schönen Wohnung in Grinzing verdrängt und leben die letzten Wochen in einer Pension. Auf die dringende Bitte des Bruders Georges verlassen sie Österreich und fliehen nach Paris. Der Bruder scheint ein gutes Gefühl dafür zu haben, was in den politischen Situationen möglich ist und was nicht. Später wird er die deutsche Besatzung in Paris überleben; er weigert sich, ein «J» für «Jude» in seinen Pass stempeln zu lassen; im Pasteur-Institut, wo er arbeitet, denunziert ihn niemand.[211] Hier in Paris halten sich die Canettis bis Anfang 1939 auf; über ihren Aufenthalt ist bisher wenig bekannt geworden. Man weiß nicht, ob und wie sich Elias Canetti in der «Emigrantenszene» bewegt hat oder ob er nur mit der großen Verwandtschaft Kontakt hält. Im Januar 1939 emigrieren die Canettis nach England.[212]

Das Londoner Exil (1939 – 1971)

Nach den vierzehn Jahren Wien (1924–1938) und ein paar Monaten in Paris beginnt für die Canettis nicht freiwillig eine lange Zeit in London. Das jüdische Schicksal des Exils holt die Canettis ein. Die Eheleute kennen England, Elias von seinem kurzen Aufenthalt in Manchester, Veza von Besuchen bei ihren Verwandten. Für beide bringt das Exil nun wenigstens nicht die Belastung mit sich, eine völlig neue und fremde Sprache lernen zu müssen. Doch für beide Schriftsteller hat das Exil von Anfang an dieselben bitteren Konsequenzen wie für fast alle Exilschriftsteller: Der gewohnte Wiener Sprachraum fehlt, der so vieles ihrer Dichtungen prägt. Von jeglichen Veröffentlichungs- und damit Verdienstmöglichkeiten in ihrem eigenen Metier sind sie obendrein abgeschnitten. Fast alle guten Freunde leben in den verschiedensten Ländern. Das alles empfindet Veza sehr viel stärker als Elias Canetti.

Ob sie anfangs von in England lebenden Verwandten unterstützt werden, ist nicht sicher. Für einige Jahre hindurch sind die Canettis jedenfalls bettelarme Leute. Das hat auch zur Folge, dass Veza wegen Eiweißmangel ständig krank wird und auch Elias öfter kränkelt. 1941 leidet er gar an Tuberkulose, an der Krankheit, an der seine Mutter Mathilde gestorben ist und die sein Bruder Georges in Paris als Mediziner bekämpft und sich selbst dabei einhandelt.

England war wegen der sich zwar mehrmals ändernden, doch insgesamt relativ liberalen Aufnahmebedingungen ein sehr begehrtes Land für das Exil oder für einen Transit nach Übersee. Die Insel verspricht Schutz vor den Nazis. Mehr als 73 000 Flüchtlinge werden zu Kriegsanfang in London gezählt.[213] Diese große Zahl enthält zugleich die Konkurrenz, die jetzt in Bezug auf die wenigen Betätigungen zur Bewältigung der materiellen Lebensnöte herrscht. Mehrfach wird berichtet, wie Elias Canetti sich einzurichten versteht; er besucht die Cafés, wie er es in Wien getan hat, liest die Zeitungen und trifft sich mit Bekannten. Dennoch bleiben die Canettis Fremde. Er hat einen bulgarischen Pass und sein

Frau einen österreichischen, der seit dem Frühjahr 1938 ein deutscher Pass geworden ist. Von den verschiedensten Berichten der Londoner Emigranten her erhält man den Eindruck, dass sehr viele von ihnen mehr unter sich bleiben als unter Engländern verkehren.

Die Canettis treffen in London auf eine Reihe von weiteren Emigranten, die sie aus Österreich kennen, denn sie wohnen meistens wie ein großer Teil der jüdischen Emigranten in einem relativ engen Bezirk Londons, im Intellektuellenviertel Hampstead. 15 000 der 60 000 Einwohner dieses Stadtteils gehören 1939 zu den Emigranten und anderen Fremden.[214] Diese Fremden schaffen sich hier ihre eigene Infrastruktur mit Cafés und Restaurants, in denen Deutsch gesprochen wird und österreichisch gekocht.

Einer der umtriebigsten Österreicher im Londoner Exil seit 1934 ist wohl Robert Neumann; er leitet de facto den Austrian PEN, der es sich unter anderem zur Aufgabe gemacht hat, den neu ankommenden Emigranten zu helfen. Neben Neumann und Arthur Koestler sitzt hier Elias Canetti im Vorstand. Sosehr sich Canetti ganz offensichtlich laufend über viele Einzelheiten informierte, ist es doch seine Sache nie gewesen, im Literaturbetrieb oder in Hilfsorganisationen sehr aktiv zu sein. Obendrein schreibt er nicht gern schnell und auf Verlangen Briefe oder gar anderes. Seine Freunde beklagen sich gelegentlich darüber. Seine intensive und weit gefächerte Mitarbeit ist schwer vorstellbar.

Die Canettis ziehen in London mehrmals – auch aus finanziellen Gründen – um; es ist nicht ganz einfach, festzustellen, wann sie wo zusammen und auch einzeln gewohnt haben. Elias Canetti unterhält sowohl fürs ungestörte Arbeiten als auch für seine Beziehungen gelegentlich ein eigenes Apartment. Verschiedene Adressen sind im Laufe der Londoner Jahre zusammengekommen; am längsten wohnen die Canettis nach dem Krieg in 8 Thurow Road, N.W. 3. Weitere Adressen – außer zwei verschiedenen in Amersham – sind: 31 Hyde Park Gardens, W. 2; 118 King Henry's Road, N.W. 3; 14 Crawford Street, W 1. Zusätzlich wird von einem Aufenthalt 1939 am Meer berichtet, der für Veza sehr unangenehm war – warum diese Zeit «böse» war, bleibt unklar.[215]

FRAUEN NEBEN VEZA

In seinem Buch *Party im Blitz* – noch Anfang der neunziger Jahre geschrieben und posthum 2003 erschienen – stellt Elias Canetti fast ausschließlich seine Bekanntschaft zu Engländerinnen und Engländern dar, nicht zu Emigranten. Eine Ausnahme bildet seine Beziehung zu Friedl Benedikt, von der er bereits im *Augenspiel* das erste Mal erzählt hat. Friedl Benedikt ist Elias Canettis Gesprächspartnerin, Schülerin und Geliebte während der ersten zehn Jahre im Londoner Exil, er hat sie als sprudelnde quicklebendige Neunzehnjährige 1935 oder 1936 kennen gelernt. Die junge Frau – Canetti gibt ihr oder ihren Augen stets das Prädikat «hell» – macht Eindruck auf ihn. Friedl Benedikt möchte, dass er sie das Schreiben lehre; sie habe seinen eben erschienenen Roman *Die Blendung* gelesen und möchte genauso schreiben können.

Friedl Benedikt folgt 1939 Canetti nach London, wo sie nun ein Liebespaar werden. Und in London wird die jetzt nicht einmal Fünfundzwanzigjährige bald eine erfolgreiche Schriftstellerin

Friedl Benedikt

Elias Canetti,
um 1940

n. Man sieht sie heute, nachdem der zweite ihrer Romane, «Das
Monster», in deutscher Übersetzung erschienen ist, als eine sehr
gelehrige und getreue Schülerin Canettis an.[216] Friedl Benedikt er-
krankt Anfang der fünfziger Jahre schwer. Sie zieht zu ihrer
Schwester nach Paris, wo sie gepflegt und von einem Kollegen von
Georges Canetti ärztlich betreut wird. Elias Canetti wird sie dort
auch besuchen. Sie stirbt bereits 1953.

Die verschiedensten Begegnungen und Beziehungen zu englischen Freunden und Bekannten, auch zu einigen Berühmtheiten
wie Bertrand Russell oder T. S. Eliot, hat Canetti in *Party im Blitz*
mal liebevoll, mal grob oder satirisch behandelt. Man erfährt aus

dem Buch auch, wie weit – nämlich bis in adelige Häuser und zu mächtigen Vertretern der englischen Demokratie – Canettis Bekanntschaften reichen. Im Nachwort verzeichnet Jeremy Adler sehr überzeugend die Muster aus der englischen Literatur, nach denen Canetti seine Porträts anlegt.

Eines der meistdiskutierten Kapitel beschreibt Canettis Beziehung zu Iris Murdoch. Die Schriftstellerin und Dozentin der Philosophie hat sich besonders in ihren jüngeren Jahren mit diversen Männern liiert und sich mit Canettis Freund Franz Baermann Steiner noch auf dessen Sterbebett 1952 verlobt. Relativ bald danach,

Anfang des Jahres 1953, ist ein enges Verhältnis zwischen Canetti und ihr entstanden. Ihre Freundschaft besteht lange und obwohl beide am anderen leiden, können sie sich ganz offensichtlich kaum voneinander lösen. So kann man es jedenfalls ihrem Roman «Die Flucht vor dem Zauberer» entnehmen, davon ausgehend, dass hier in der Fiktion Elias Canetti als der «Zauberer» zu verstehen ist. Iris Murdoch wird also zu einer weiteren wichtigen Frau in Canettis Londoner Zeit; und noch in den späten achtziger Jahren kommt sie ihn in Zürich besuchen.

Iris Murdoch, um 1952. Foto von Franz Baermann Steiner

Es ist einigermaßen rätselhaft, warum Canetti seine ehemalige Freundin in *Party im Blitz* so schäbig behandelt.[217] Und doch enthält die Porträtierung viel Charakteristisches für Canetti.

Sie habe hässliche Füße und den Gang eines krummen Bären. Canetti geht nicht weiter auf die ansonsten hübsche Frau ein. Nur ihr Gesicht erwähnt er; es sei *flämisch* wie auf einem Bild Memlings; im Augenblick der Liebe gleiche ihr Gesicht einer *Memling Madonna*[218]. Er stellt Murdoch als eine Dichterin dar, die ein typ ches Produkt aus anderen sei, aus Personen ihrer Umgebung in Oxford und in London. Zu den Londonern, die hier in Frage kommen, gehöre ganz wesentlich auch Canetti selbst. Die eigene Wirkung ist ihm immer wichtig, und möglicherweise hat er Iris Murdoch zusammen mit Franz Baermann Steiner zum Romaneschreiben motiviert.[219] Canetti will auch etwas Gutes von ihr berichten: sie sei stets all ihren Wohltätern dankbar gewesen.

Er erzählt, wie er sie in Klage über den Verlust von Franz Baermann Steiner 1953 näher kennen gelernt und mit ihr in einer völlig unerotischen Situation und ohne Gefühle ein erstes Mal geschlafen habe. Bis zu ihren einzelnen – unattraktiven – Kleidungsstücken und bis zur Penetration reicht diese Erzählung. In Details geht die Darstellung weit über die *Blendung* und die *Hochzeit* hinaus. Eine Unfreundlichkeit des Tons ist unverkennbar. Das eigentlich Merkwürdige an Canettis Porträt sind dabei allerdings einige Widersprüche und Formulierungsgehässigkeiten. Er behauptet, sie würde nie etwas mündlich erzählen. Er berichtet dann jedoch, dass sie immer unmittelbar nach dem intimen Beisammensein besondere Traumerfindungen schildere. Er schreibt: *Ich glaube, es gibt nichts, was mich gleichgültiger lässt, als der Geist dieser Person.*[220] Doch dann findet er Ausdrücke, die alles andere als Gleichgültigkeit verraten.

Möglicherweise ist eine solche Darstellung von späten Depressionen und Selbstvorwürfen geprägt. Für einige Canetti-Leser ist mit diesem Porträt der berühmten Iris Murdoch ihr bis dahin freundliches Canetti-Bild arg ins Wanken geraten. Andere scheinen in dem Murdoch-Porträt eine Bestätigung darin zu finden, «Canetti als begabten Sadisten» anzusehen.[221] Jeremy Adler stellt die These auf, Canettis Ausbruch erweise Iris Murdoch als seine Antipodin und entblöße zugleich seine eigene Natur. Daran anknüpfend sieht Adler die Rezeptionssituation richtig, wenn er schreibt, dass es einem schwer falle, «selbst bei wiederholtem Lesen […] über dieses bittere Porträt ein ruhiges Urteil zu fällen»[222].

Canetti wird bereits bei seiner Ausarbeitung des zweiten und dritten Bandes der autobiographischen Erzählung gelegentlich gemein; auch gehen manche Abschnitte ins Intime über, was dann nicht in die veröffentlichte Fassung aufgenommen wird. Vieles hat Tagebuch- und Abrechnungscharakter. Vielleicht ist der Abschnitt über Iris Murdoch ähnlich entstanden und wäre als eine Art Tagebucherinnerung zu lesen, in der tatsächlich, wie Jeremy Adler spekuliert, das Murdoch-Porträt als Spiegel eines Teils von Canettis eigener Existenz zu sehen ist. Interessant erscheint dabei, dass auch Iris Murdoch in ihren Tagebüchern offenbar nie so ausführlich über ihre sexuellen Begegnungen geschrieben hat wie über die mit Canetti.[223]

Dem polemischen Porträt stehen folgende Ereignisse und Fakten zur Seite. Iris Murdoch wird 1919 geboren, ihre Eltern sind Iren. Sie studiert in Oxford und Cambridge und wird eine wichtige englische Schriftstellerin; in den Augen vieler gilt sie als eine interessante Frau, die trotz ihres Verhältnisses mit Elias bei Veza Canetti einige Anerkennung findet. Auch schickt sie gelegentlich nicht nur Elias, sondern auch Veza Canetti ein Buch mit handschriftlicher Widmung.[224] Veza Canetti kam offenbar unter allen Geliebten ihres Mannes noch am besten mit Iris Murdoch aus.

Der Journalist und Schriftsteller Ernst Fischer berichtet schon aus der Wiener Zeit von Vezas Eifersucht, die sie sich als stolze Frau nicht recht erlaube.[225] Aus dem englischen Bekanntenkreis wird berichtet, Veza habe sich damit beruhigt, dass es viele Geliebte Canettis gebe, jedoch nur eine Ehefrau.[226]

Noch in den fünfziger Jahren heiratet Iris Murdoch den Professor für Englisch John Bayley, der sie bis zu ihrem langsamen Sterben – sie wird an Alzheimer erkranken – aufopfernd pflegt. Ihre mindestens zwei Dutzend Romane haben in England eine große Breitenwirkung. 1987 erhebt sie die Königin in den Adelsstand. Iris Murdoch stirbt 1999. Man kann verstehen, dass besonders in England Canettis polemisches Porträt als nicht sehr amüsant empfunden wird.

Kommen wir noch einmal auf die Kriegszeit zurück. Die auf die Bomben ziemlich unvorbereitete Zivilbevölkerung hat einiges zu erleiden, Tausende sterben oder werden obdachlos. Im Hintergrund lauert die Angst, den deutschen Truppen könnte doch noch eine Invasion der Insel gelingen. Die englische Regierung befürchtet, dass unter den vielen Emigranten ein prodeutscher Untergrund entsteht; sie unterteilt daher die Emigranten in drei Gruppen, in die freundliche, neutrale und potenziell feindliche

Bombardierung
Londons durch
die deutsche
Luftwaffe am
9. Dezember
40:
Blick auf die
brennende Stadt
um St. Paul's
Cathedral

Gruppe. Elias Canetti wird seltsamerweise der zweiten Kategorie
zugeordnet; immerhin muss er nicht wie viele andere der dritten
und zweiten Gruppe in ein Internierungslager. In äußerer Ungerührtheit gegenüber Hitler und seinem Vernichtungswillen muss
– in einem gewissen Kontrast zur offiziellen Politik – ein Teil der
Engländer auf die Luftangriffe, auf «the blitz», reagiert haben.
Zwar werden etwa die Untergrundbahnhöfe als Luftschutzbunker
benutzt, Zeichnungen Henry Moores geben davon Zeugnis, doch
viele Londoner scheinen sich so verhalten zu haben, als seien die
Luftangriffe nur lästig. Canetti hat dies in seiner autobiographischen Erzählung bereits mit dem Titel *Party im Blitz* angedeutet
und ausgeführt, wie sehr er gerade damals die Engländer bewundert habe.[227] Auch andere Exilschriftsteller staunen über die ver-
meintliche oder tatsächliche britische Ungerührtheit; bei Robert

Neumann ist eine Atmosphäre mit gelegentlichem schwarzem Humor festgehalten: «Diese Bombennächte während des Krieges Die Musik spielte. Die Säle voll. Fliegerwarnung draußen. Die Musik spielte weiter. Kein Mensch hörte hin [...].»²²⁸

So sehr der englische Stoizismus von Elias Canetti bewundert wurde; irgendwann hat man von dem Heroismus genug. Das fehlende Geld spielt zudem eine Rolle; man sei zu arm, um sich eine zweite Wohnung über der eigenen leisten zu können, die im Fall des Bombeneinschlags die Wohnung darunter schützen könnte, meldet Veza Canetti Freunden.²²⁹ Die Canettis setzten sich für eine Weile ab, aufs Land nach Amersham in Buckinghamshire. Elias scheint schon relativ früh in der Exilzeit in London und Amersham zu wohnen, denn hier pflegt er eine weitere enge Beziehung zu einer Frau – es ist die Malerin Marie-Louise von Motesiczky, eine Wienerin, Schülerin von Max Beckmann. Einige Porträts hat sie von Elias Canetti angefertigt. Veza Canetti kommt wohl dann in der Zeit der Bombennot und der Krankheit von Elias hinzu. Sie versucht, die neue Situation auch literarisch zu verarbeiten; eine erst im Jahr 2000 veröffentlichte Erzählung spiegelt die Zuflucht

Veza Canetti und Marie-Louise von Motesiczky in deren Atelier in Amersham, 1943

les Ehepaars. Die Erzählung enthält jedoch keine Spur von Eiferucht, sie stellt vielmehr einige Kriegsfolgen und vor allem auf ine groteske Art die Vermieter dar.[230]

Anerkennung der Canettis als Schriftsteller

Die Hauptarbeit von Veza Canetti gilt, seitdem sie in London ist, ihrem Roman «Die Schildkröten», der die Situation der Canettis in Wien vom März 1938, dem «Anschluss» Österreichs ans Deutche Reich, bis zur Flucht im Herbst 1938 zu «bewältigen» verucht. Der Roman wird in vielen grotesken Zuspitzungen auf das Haus, ja die Wohnung konzentriert, aus der die Protagonisten allmählich von einem Nazi hinausgedrängt werden. Veza Canetti hofft, diesen Roman, der auch zeigt, wie brutal die Nazis gegen die Juden vorgehen, in England in einem Verlag unterzubringen. Die Verschärfung des Kriegs verhindert das. Erneut ist es nicht möglich, Veza als Autorin bekannt zu machen, und erneut ist auch eine potenzielle Einnahmequelle verlegt. Der Roman wird erst 1999 veröffentlicht werden.

> In Frankreich wird man erst zur Besinnung kommen, sich auf sich selbst besinnen und wieder wissen, wer man ist. Wieder stolz sein. In England wird man sich sammeln. Dort ist man ernst und findet zu seinem Charakter.
>
> Veza Canetti

Einige Zeit nach Kriegsende erholt sich die finanzielle Lage der Canettis ein wenig. Veza erhält für ihre inzwischen fertig gestellte Übersetzung von Graham Greenes «Die Macht und die Herrlichkeit», erschienen im Zsolnay Verlag und später als Rowohlts Rotationsroman, ein wenig Geld. Ihr Übersetzerinnenname ist wie sonst das Pseudonym «Veza Magd», hinter dem kaum jemand Veza Canetti vermutet. Auch beginnt sie als Lektorin im Londoner Verlag Hutchinson zu arbeiten; Genaueres über ihre Arbeit dort weiß man allerdings nicht.[231] Das alles geschieht, ohne dass sie als Autorin bekannt würde. Etwas besser ergeht es Elias Canetti.

Im Münchner Willi Weismann Verlag erscheint 1948 die zweite Ausgabe von Canettis *Blendung*. Die *Komödie der Eitelkeit* wird ebenfalls im Weismann Verlag gedruckt, doch bevor das Drama 1950 ausgeliefert werden kann, muss der Verlag Konkurs an

melden. Der Weismann Verlag hat die Folgen der Währungsre
form von 1948 nicht verkraftet. Die Canettis kaufen dem Verla
einen Teil der Auflage des Dramas ab. Das alles bringt nicht sef
viel ein und macht sie auch kaum über den kleinen Kreis hinau
publik, der ihre Werke schon aus den dreißiger Jahren kenn
Schriftsteller im Exil haben es doppelt schwer, nach dem Krieg i
Deutschland und Österreich zu publizieren. Sehr viel mehr Ane
kennung erhält die erste englische Ausgabe der *Blendung*. Sie wir
als ein hervorragendes Beispiel moderner Erzählkunst gewürdig
In einer BBC-Sendung wird die *Blendung* in eine Reihe gestellt m
den wichtigen Romanen des 20. Jahrhunderts. In Frankreich wir
die französische Übersetzung sogar als bester ausländischer Rc
man ausgezeichnet.[232] Zu Ende der vierziger Jahre hält Canet
auch in Paris und Grenoble einen Vortrag über die modernen E
zähler wie Marcel Proust, Franz Kafka und andere.[233] Trotz so
cher Anerkennung und der Neueditionen bei Weismann beläss
es Elias Canetti dabei, seine belletristischen Pläne und Fragmentc
mit denen er sich seit 1940 nicht mehr beschäftigt hat, ruhen z
lassen.

Das Ausmaß der Brutalität der Konzentrationslager wird al
mählich bekannt; das Kriegsende mit den Verheerungen de
Atombomben in Japan sowie die allgemeine Not zwingen ihn z
anderen Arbeiten. Jetzt widmet er sich fast ausschließlich der Au
arbeitung von *Masse und Macht*, was sein Beitrag im Kampf gege
den nationalsozialistischen Faschismus und gegen Willkürher
schaft überhaupt ist. Und Canetti hält für sein Schreiben an de
deutschen Sprache fest. Er lasse sich nicht von einem Verbreche
wie Hitler das Deutsche verbieten. Auch schreibt er nach der
Krieg scheinbar paradox: *Die Sprache meines Geistes wird die deu
sche bleiben, und zwar weil ich Jude bin.*[234]

Die alten Studien zu «Masse» und zu «Macht» werden wiede
aufgenommen. Vor allem beginnt Canetti nun viele Bücher durcl
zuarbeiten, die von den archaischen Kulturen handeln. Er ist d
von überzeugt, dass das Massenverhalten und die Machtausübun
der Menschen an diesen Überlieferungen reiner studiert werde
können. Hier habe die abendländische Zivilisation noch nicht di
menschlichen Ursprünge von Massenbildung und Machtverha
ten, um die es ihm gehe, zugedeckt.

«Aufzeichnungen»

Bald merkt Elias Canetti, dass er zu einseitig in seiner Arbeit werden könnte, nachdem er sich die so genannte schöne Literatur verboten hat. Als Ausgleich zu den Studien zu *Masse und Macht* beginnt er 1942 mit fast täglichen – oder genauer: nächtlichen *Aufzeichnungen*. Seine jeweilige Arbeit, die politischen Ereignisse, Begegnungen mit verschiedenen Menschen und Schriften oder Einfälle unterschiedlichster Art werden festgehalten, um in häufig geistreichen Formulierungen eine eigene Ortsbestimmung vorzunehmen. Immer wieder gehen auch hier die Gedanken parallel zu den Nachforschungen zu *Masse und Macht* den Urbedingungen menschlicher Existenz nach, und es gelingen dichterische Erfindungen ganz eigener Art. Außerdem werden persönliche Krisen und Freuden berührt; dabei geraten die *Aufzeichnungen* manches Mal in die Nähe von Tagebucheintragungen, die Canetti sonst als eine harte Selbsterforschung – er spricht vom *Dialog mit dem grausamen Partner*[235] – grundsätzlich getrennt hält.

Sein wichtigstes Vorbild für diese Art des Schreibens sind ihm die «Sudelbücher» von Georg Christoph Lichtenberg. Deswegen beginnen die Aufzeichnungen in dem ersten repräsentativen Band *Die Provinz des Menschen* auch mit einer von Lichtenberg erfundenen und von Canetti umgeschriebenen Rückwärtsgeschichte.[236] Weitere Aphoristiker, von den französischen Moralisten bis zu Friedrich Nietzsche und Karl Kraus, mögen so manche Anregung gegeben haben.[237]

Von den vielen, vielen Aufzeichnungen, die Canetti angefertigt und die im Nachlass aufbewahrt werden, sind inzwischen eine Reihe von Bänden erschienen, die zum größten Teil noch Canetti selbst zusammengestellt hat. Sein Anspruch reicht, seinem Dichtungsbegriff entsprechend, hoch: Die Erfindungen der Aufzeichnungen sollen nichts weniger sein als eine Entdeckung der Wirklichkeit im Sinne eines Nachvollzugs der Schöpfung. So hat sich aus einem ursprünglichen Nebenprodukt ein Hauptwerk Canettis entwickelt.

Seit seinen ersten Auseinandersetzungen mit den Arbeiten Sigmund Freuds ist Canetti überzeugt, dass er die Ausarbeitung für *Masse und Macht* so gut wie allein voranzutreiben habe; auch Freud habe das, was er erreicht habe, gegen alle Widerstände der

Zeit allein zuwege gebracht. Für seinen ersten Arbeitsschritt ge gen Freud sieht sich Canetti allein im Gebirge wie Nietzsches Zarathustra.[238] Der allein stehende Machthaber, der gegen die ge samte Welt antritt. Mit Bezug auf Karl Kraus hat Canetti diese Hal tung auch herausgestellt, und vielleicht ist sie für Dichter über haupt nicht ungewöhnlich.

Später reagiert Canetti nicht auf eine Anfrage von Hermann Broch, was denn seine Massentheorie mache – er ist überrascht dass auch Broch an einer Arbeit zu Problemen der Masse sitzt. E will sich jedoch davon nicht beeinflussen lassen.[239]

Nur mit einigen wenigen Freunden in London beginnt er zu diskutieren. Dazu gehört als wichtigster Gesprächspartner bi 1952 Franz Baermann Steiner.[240] Steiner stammt aus Prag und ge hört zu einem Kreis junger Deutsch schreibender Gelehrter und Dichter. Studienhalber war Steiner nach seiner Promotion 193 nach England gegangen, und er wurde dort ein kundiger, gan

Franz Baermann
Steiner

igener Soziologe und Dichter. Mit keinem anderen kann Canetti so über Mythen diskutieren wie mit Steiner.[241] Wie Canetti ist Steiner Jude, 1909 in Prag geboren. Er wird in England von zwei sehr unterschiedlichen Katastrophen heimgesucht: In der Eisenbahn verliert er seine sämtlichen Studienmaterialien für die zweite Doktorarbeit zur Soziologie der Sklaverei, sodass er alles rekonstruieren muss. Und er erfährt, dass seine Eltern in Treblinka ermordet worden sind. Davon kann Steiner sich nicht mehr erholen, er stirbt 1952 mit 43 Jahren an Herzthrombose. Noch auf dem Krankenbett verlobt er sich, wie erwähnt, mit Iris Murdoch, die damals gerade ihren ersten Roman geschrieben hat.

In den vierziger Jahren überredet Canetti Steiner, es neben der laufenden Arbeit ebenfalls mit Aufzeichnungen zu versuchen. Das Resultat ist erstaunlich, es zeigt nämlich unter anderem, wie ähnlich bei Steiner und Canetti Probleme formuliert werden – in schriftlicher Niederschlag ihrer Gespräche. Ein brisantes Beispiel teilt Jeremy Adler mit: Bei Steiner liest man als «Keim einer skeptischen Ethnologie […]: ‹Eine Kultur aufbauen, das heißt unter anderem auch: einen Standpunkt finden, von dem aus man Lügen über den Tod verbreiten kann.›» Canetti dazu «wie eine Illustration: *Die ‹Kultur› wird aus den Eitelkeiten ihrer Förderer zusammengebraut. Sie ist ein gefährlicher Liebestrank, der vom Tode ablenkt. Der reinste Ausdruck der Kultur ist ein ägyptisches Grab, wo alles vergeblich herumsteht, Geräte, Schmuck, Nahrung, Bilder, Skulptur, Gebete, und der Tote ist doch nicht am Leben.»[242]

Nach dem Krieg ist der zweite Gesprächspartner Canettis bei der Ausarbeitung von *Masse und Macht* H. G. Adler. Wie Steiner stammt Adler aus jüdischem Haus; er wurde 1910 ebenfalls in Prag geboren. Die beiden lernen sich 1937 dort kennen, worüber Canetti ausführlich im *Augenspiel* berichtet.[243] Vor dem Krieg ist es Adler nicht gelungen, ins Exil zu gehen. Die Folgen sind grausam, denn Adler erlebt eine Tortur: Zwangsarbeit, Theresienstadt, Auschwitz, Arbeitslager. Mehrere Angehörige und enge Freunde von ihm sind ermordet worden. Im Nachkriegs-Prag kann er sich nicht lange halten; erst jetzt, 1947, gelingt ihm das Exil, er geht nach London. Hier schreibt Adler weiter Gedichte und mehrere Romane; darüber hinaus beginnt er mit soziologischen Studien und einer großen Arbeit über das Konzentrationslager Theresienstadt. In

Hans Günther Adler
in Prag, 1945

wenigen Jahren nur be
wältigt Adler ein große
Pensum, das Canetti i
einem Brief würdigt, be
sonders «Die Reise», ein
autobiographische, seh
dicht geschriebene Erzäh
lung, hat es ihm angetan
Ich glaube, daß Ihr Erlebni
das ein Erlebnis vieler wa
hier eine vollkommene dich
terische Verwandlung erfah
ren hat, wie sie keinem an
deren bis heute gelungen is
Die furchtbarsten Dinge, di
Menschen geschehen könner
sind hier so dargestellt, al
wären sie schwebend, un
zart und verwindlich; al
könnten sie dem Kern de
Menschen nichts anhaber
Ich möchte sagen, daß Sie d
Hoffnung in die modern
Literatur wieder eingeführ
haben.[244]

Besonders in den späten fünfziger Jahren diskutieren Canett
und Adler ihre Auffassungen zur Masse; Adler arbeitet ebenfall
an der Frage, was die Masse eigentlich sei. Er schlägt dabei aller
dings einen etwas anderen Gedankenweg ein als Canetti. Ve
dienstvoll für die Forschung insgesamt, stellt Adler in einem gro
ßen Aufsatz erst einmal zusammen, wie das Wort «Masse» vo
der Antike bis zur Mitte des 20. Jahrhunderts gebraucht wurd
Canettis Arbeit erhält hier ihre historische Einordnung, als e
selbst mit *Masse und Macht* gerade zum Ende kommt.

Im Einzelnen schreibt Adler in seinem Aufsatz mit dem pro
grammatischen Titel «Mensch oder Masse» – wohl bewusst ange
lehnt an Canettis Titel *Masse und Macht* – mehrfach, dass ihm Mas
se, im Gegensatz zur Canetti'schen Auffassung, immer etwa

morphes bleibe und zur Gestalt des einzelnen Menschen in deut-
chem Kontrast zu sehen sei.[245] Canetti lässt sich jedoch von die-
er durchaus auch kritisch gemeinten Ansicht Adlers nicht von
einem Weg abbringen. Mit einzelnen Lesungen und Vorabdru-
ken in Deutschland wird das Werk angekündigt, bis es endlich
960 im Claassen Verlag in Hamburg erscheint.[246]

Masse und Macht»

Das gewaltige Buch reicht in die Disziplinen Geschichte, Ethnolo-
ie, Soziologie, Psychologie und Kulturgeschichte hinein. Richtig
u Hause ist es allerdings auf keinem dieser Felder, bleibt es doch
auch eine dichterische Arbeit. Das Buch ist in verschiedene Teile
egliedert; der erste Teil beschäftigt sich mit «Masse» und «Meu-
e», der zweite Teil fügt eine Analyse von «Macht» hinzu, ein *Epi-
og* beendet den Essay von über 500 Seiten. Beide Teile sind in viele
apitel und Abschnitte gegliedert. So hat etwa das Kapitel *Der
Überlebende* innerhalb des Macht-Teils dreizehn Abschnitte, wie
*Überleben als Leidenschaft, Der Machthaber als Überlebender, Die Ret-
ung des Flavius Josephus.*

Alle Teile sind von einer neuen Auswertung von Gefühlen
der Affekten geprägt. Sowohl das Verständnis von Masse als
uch das Verständnis von Macht wird anfangs mit der von Canetti
ngenommenen Berührungsfurcht konstitutionell verbunden:
ichts fürchtet der Mensch mehr, setzt Canetti thesenhaft ein, *als die
erührung durch Unbekanntes.*[247] Deswegen habe er sich Distanz-
nd Abwehrmöglichkeiten geschaffen, Kleider und Häuser ge-
aut. Abgesehen von freiwilligen oder gewaltsamen Berührungen
etze diese Furcht nur in der Masse aus, es sei die Dichte der Masse,
ie die Berührungsangst aufhebe. Auch in den Anfangsgedanken
ur Macht spielt die Furcht eine Rolle. Canetti setzt voraus, dass
e Urgesten der Macht das *Ergreifen* und das *Einverleiben* seien. Ein
eschöpf hat die Absicht, ein anderes zu fressen; es belauert das
pfer, das – und hier ergibt sich die Parallele zur Analyse der Mas-
e – nichts so sehr fürchtet wie die Berührung. Die Berührungs-
rcht verhindert zunächst das Zustandekommen von Masse und
acht; nur das *Umschlagen*, wie Canetti sagt, schafft die Vorausset-
ung von Massenbildung. Im Berühren und Ergreifen eines Opfers
anifestiert sich Macht.

Es könnte sein, dass dieser Ansatz durch eine besondere Berührungsempfindlichkeit Canettis gefördert wurde, denn die Verbrühungen, die er als Kind erlitt, haben nicht nur Narben, sondern auch eine besondere Empfindlichkeit hinterlassen. Doch der gedankliche Ansatz Canettis geht über Subjektives hinaus – das «Fressen und Gefressenwerden» bleiben objektive Tatbestände. Canetti macht glaubhaft, dass es ihm hier um Anthropologisches geht.

Die Arbeit ist auf entsprechende Urkonstanten aus. Immer wieder wird die Perspektive zusätzlich historisch-situativ relativiert oder konkretisiert. Affekte spielen in Canettis Untersuchung weiter eine bedeutende Rolle. Verschiedene Massen werden beispielsweise *nach dem tragenden Affekt* eingeteilt[248]: Hetzmasse und Fluchtmassen sind die historisch-genetisch ältesten; sie sind auch im Tierreich zu beobachten. Verbotsmassen, Umkehrmassen und Festmassen gelten ihm als jünger, die bringt ausschließlich der Mensch hervor.

Canettis Darstellung von Macht geht von einem einfachen Sachverhalt aus: Ihr Urgrund ist das Überleben. In Canettis Worten: *Der Augenblick des Überlebens ist der Augenblick der Macht.* Canetti sieht für den Moment der Machtentstehung den *Schrecke* beim Anblick eines Toten in *Befriedigung* übergehen.[249]

Zur Macht und zur Masse folgen immer wieder interessante Einzeluntersuchungen, von denen hier nur wenige zusammengefasst wiedergegeben werden. Canetti stellt zwischendurch die These auf, dass es für die Bildung von Massen *Massenkristalle* gebe, nämlich *kleine rigide Gruppen* von Menschen, die sich zu Masse erweitern.[250] *Massensymbole* sind für Canetti etwa Feuer, Meer, Wald, Wind und Korn.[251] Im Kapitel *Meute und Religion* werden verschiedene Konstellationen der Jagd und des Krieges analysiert und Berichte von den so genannten primitiven Völkern neben die von so genannten zivilisierten gestellt.[252]

Im Kapitel *Masse und Geschichte* finden sind auch Versuche, jüngste Ereignisse zu deuten. Für die Geschichte Deutschlands sieht Canetti nach dem Versailler Vertrag verblüffende Zusammenhänge; er stellt etwa folgende These auf: Durch die Erfahrung der Inflation als Massenphänomen sei es möglich gewesen, die Abwertung des Geldes auf die Juden zu übertragen; wird dies

«Massenkristall». Radierung von Alfred Hrdlicka zu «Masse und Macht», 1971

bwertung weit genug getrieben, ist es möglich, Juden als Unge- iefer zu sehen und sie millionenfach zu vernichten.[253]

Besonders aufschlussreich sind die *Elemente der Macht*, denn Canetti zeigt, dass diese nicht in den großen Machthabern allein, ondern sich auch im Alltag der Menschen auswirken. Da werden *Macht und Geschwindigkeit* analysiert genauso wie *Frage und Antwort* und die *Macht der Verzeihung*.[254] Im Kapitel zu *Verstellung* und *Verwandlung*[255] kommt Canetti zu anthropologischen Grundannahmen, die für sein Dichten konstitutiv sind. Der Dichter, so ührt Canetti später vor allem in der Rede *Der Beruf des Dichters* us, verwandelt sich in seine Figuren, diese Figuren verwandeln ich ihrerseits. Ovids «Metamorphosen» sind ihm dafür ein groes Vorbild.

Mit der Darstellung verschiedener Paranoiker endet das Buch. s soll gezeigt werden, wie sich im Paranoiker die Vorstellungen ines Machthabers geradezu modellhaft abbilden. Canetti führt azu afrikanische Könige, Muhammed Tughlak, einen indischen

Sultan und als Schlusspointe die Analyse der «Denkwürdigkeiter eines Nervenkranken» von Daniel Paul Schreber an. Letzteres is schon deshalb eine Pointe, weil übe die Wahnphantasien Schrebers be reits Sigmund Freud gehandelt ha und weil Canetti damit einmal meh seine nicht innerpsychische, sonder phänomenologische und anthropo logische Sicht dokumentiert.[256]

> Die Wiederbelebung des mythischen Denkens erfolgt nämlich in der Regel von Seiten der Gegenaufklärung, zu der Canetti nicht gezählt werden kann. Wie also kann der unklare Status von Masse und Macht zwischen Wissenschaft und Mythos interpretiert werden? Ich denke, er ist das Resultat von Canettis innerem Widerstreit zwischen Abgrenzung und Bewunderung in Bezug auf Freud.
>
> Mario Erdheim

35 Jahre hat Canetti an *Masse un Macht* gearbeitet, zwanzig Jahre – vor Pausen unterschiedlichster Art und Länge abgesehen – in intensiver Lese und Denkarbeit in London. Die vie len brisanten Thesen des Essays sind zur Enttäuschung Canettis zunächst auf keine große Resonanz ge stoßen. Theodor W. Adorno besprach mit dem Autor zusammer das Buch 1962 im Rundfunk und monierte den subjektiven Mas senbegriff bei den unsichtbaren Massen wie Blutkörperchen ode Wassertropfen, die Canetti mit reflektiert.[257] Man zeigt sich abe auch interessiert. Die Akademie der Künste in Berlin lädt Canett ein, sein Buch zu erläutern. Canetti hält einen Vortrag, der unte dem Titel *Macht und Überleben* mit zwei weiteren Essays in einer Heft des Literarischen Colloquiums Berlin veröffentlicht wird.[25] Zu den *Masse und Macht* erläuternden und konkretisierenden Es says muss auch Canettis längere Besprechung von Albert Speer Memoiren gezählt werden. Die Anwendung einiger Elemente de Macht, vor allem die Realisierung des Übertreffens und der Grc ßen Zahl zeigt Canetti in dieser Schrift *Hitler, nach Speer*[259], di einen Platz in Schullesebüchern haben müsste.

Das Echo auf *Masse und Macht* wird später größer. Es gibt Sym posien zu dem Werk, einzelne Gedanken werden immer wiede aufgegriffen.[260]

ARBEITEN NEBEN «MASSE UND MACHT»

Mehrmals unterbricht Canetti die Arbeit an *Masse und Macht*. 195 arbeitet er kurz an dem satirischen Libretto *Affen-Oper*. Gut ei Dutzend Seiten eines Typoskripts sind als Kopie im Nachlass ei

usehen. Die Handlungsorte Zimmer, Restaurant, Hotel und Bier-
keller sind festgelegt für ein absurdes Spiel, in dem fortwährend
ein schweigender Affe mitspielt, dessen stumme Gesten offenbar
noch verstanden werden. Ein Fackelzug wird ihm zu Ehren veran-
taltet, der Affe tritt als Bettler auf – weitere groteske Szenen sind
in dem noch nicht ausgearbeiteten Fragment erhalten.

1952 führt Canetti den Gedanken des Überlebens noch einmal anders aus – *Die Befristeten* nennt er eine Art utopisches Drama, bei dem es darum geht, einem jeden sei bekannt und vorher-
bestimmt, wann er sterben müsse. Das Stück wird in englischer
Übersetzung als *The Numbered* 1956 in Oxford uraufgeführt.

Was die englischen Übersetzungen insgesamt angeht, so
muss gesagt werden, dass Elias Canetti und wahrscheinlich auch
Veza Canetti daran einen großen Anteil haben. Das gilt für die englische Ausgabe des Romans, das gilt aber erst recht für die 1955
erschienene Wotruba-Arbeit, deren englische Version wohl voll-
ständig von den Canettis stammt.

Einen sehr großen Anteil am Zustandekommen von Canettis
Arbeiten, auch von *Masse und Macht*, hat seine Frau Veza. Sie hält

Veza Canetti im
Londoner Regent's
Park, um 1952.
Foto von Franz
Baermann Steiner

ihren Mann zur Weiterarbeit an; für ein paar Monate ist sie deshalb mit ihm nach Frankreich gegangen. Und sie wohnt in seiner Nähe. Canetti hat später auch betont, dass in seinem Werk nichts stehe, was er nicht vorher mit ihr durchgesprochen habe.[261] Wie groß auch immer ihr Anteil sein mag, gewiss ist, dass sie ihn in vielerlei Weise in der Londoner Zeit unterstützt hat. Sie erledigt für ihn einen Teil der Verlags- und Freundschaftskorrespondenzen, sie schreibt ihm fast alles mit der Schreibmaschine, wobei sie mit ihrer Behinderung eine bewundernswerte Technik entwickelt haben muss. Auch schreibt sie ja für sich. Einige Erzählungen und die gesellschaftskritische London-Komödie aus den fünfziger Jahren «Der Palankin» sind von ihr erhalten.[262] Und sie vertraut Freunden an, dass sie ihr Stück «Der Oger» gern aufgeführt sehen würde.[263] Doch alle Versuche, da und dort jemanden von der Bühne dafür zu interessieren, scheitern. Veza resigniert. Mitte der fünfziger Jahre wird sie immer schwermütiger. Dazu tragen wesentlich die Nachrichten aus den Konzentrationslagern der Nationalsozialisten bei; immer mehr Details werden von der planmäßigen Ermordung der Juden und Sinti und Roma bekannt; ein großer Teil ihrer Verwandtschaft ist ermordet worden. Wie sehr sie davon beeinflusst ist, zeigt eine neue Angewohnheit von ihr, sie fügt ihrer Unterschrift in Briefen ein «J.» für «Jüdin» hinzu.[26]

Schließlich unterstützt sie nur noch ihren Mann und zerstört in einer depressiven Phase 1956 viele ihrer eigenen Werke. Sie beschließt, für sich nichts mehr zu schreiben. Wohl aber schreibt sie noch für ihren Mann. Sie nimmt sich ganz zurück, sie ist nur noch im Wortsinn ihres Pseudonyms als «Magd» tätig.

Am 1. Mai 1963 stirbt Veza Canetti in einem Londoner Krankenhaus. Einem Gerücht nach habe sie ihrem Leben selbst ein Ende gesetzt. In den handschriftlichen Materialien zur Entstehung der *Fackel im Ohr* finden sich Spuren für diese Annahme. Elias Canetti überlegt dort, wie er das Porträt seiner ersten Frau anlegen soll, und reflektiert über die Schwierigkeit, ihre Melancholie angemessen darzustellen. In diesem Kontext zitiert er das Ende eines frühen Briefs von ihr: «Ich spiele mit der roten Schnur.»[265]

Ihre übrigen Briefe an ihren Mann soll Elias Canetti in den neunziger Jahren in einer eigenen Phase von Depressionen vernichtet haben. Sollte Veza Canetti wirklich Freitod gewählt haben, so wäre dies für den «Kampf gegen den Tod» ihres Mannes einer der bittersten Schläge gewesen. Ob die von Elias Canetti bereits 1960 angedeutete Krise in seiner *tiefsten Erniedrigung*[266] mit Veza zu tun hatte – *Masse und Macht* ist erschienen, man könnte meinen, sie habe damit ihre Arbeit getan –, ist nicht auszumachen. Ihr Tod bedrückt Elias Canetti ungeheuer. (Jeremy Adler berichtet, Canetti habe sich sogar das Leben nehmen wollen, als Hera Buschor plötzlich auftauchte.) Gerade ist Canetti endlich nach Wien eingeladen worden, in München beginnt der Hanser Verlag sich für sein Werk einzusetzen, da stirbt sie. *Schwarze Wolke, verlaß mich jetzt nicht*, klagt er in den Aufzeichnungen; immer wieder wird alles in Trauerschwarz getaucht: *Sein schwarzes Auge, das vom Tode gespeist wird./Nun ist alles dunkel, aber die Erinnerung dampft.*[267]

HERBERT G. GÖPFERT UND DER HANSER VERLAG

1963 beginnt die Phase der eigentlichen Bekanntheit von Canettis Werk und Person mit der dritten Ausgabe der *Blendung* im Münchner Hanser Verlag. Das Verdienst gebührt dem damaligen Leiter der literarischen Abteilung des Verlags Herbert G. Göpfert. Der nur um zwei Jahre jüngere Professor und Betreuer vor allem auch der Klassiker-Reihe dieses Verlages kennt bis dahin weder *Masse und Macht* noch ist er ein Kenner des Werks von Elias Canetti. Er wird auf Canetti und die Bedeutung seines Romans aufmerksam gemacht und darauf hingewiesen, dass der Roman im englisch- und französischsprachigen Ausland große Beachtung finde, in Deutschland jedoch kaum bekannt sei.[268]

Von nun an wird Canettis Werk vom Hanser Verlag betreut. Canetti hat sich bei Göpfert zu dessen 70. Geburtstag mit einem langen handgeschriebenen Brief bedankt und dessen Verdienste gewürdigt; dabei verrät er, dass es Göpfert gewesen sei, der die Bedeutung der Aufzeichnungen erkannt und zur Veröffentlichung gedrängt habe.[269] Bei Hanser erscheinen nun von Jahr zu Jahr neue Bücher aus dem Bestand Canettis oder von ihm Zusammengestelltes. Das Marrakesch-Buch, das nach Canettis Marokkoreise von 1954 entstand, hat ebenfalls Göpfert angeregt.

Der Verleger Carl Hanser, Herbert G. Göpfert
und Elias Canetti in München, März 1963

«Die Stimmen von Marrakesch»

Es ist Canettis freundlichstes Buch, durchweg in einer sachten flie
ßenden Sprache geschrieben und immer wieder auf die *Stimmen*
konzentriert, wie es der Titel formuliert – unterschiedliche Laute
Rufe, Klagen von Menschen und Tieren, der Lärm eines Platzes
oder das akustische Durcheinander von Kindern in einem Hof ode
einer jüdischen Schule. Empathie bestimmt die ausgedehnten Er
zählungen von Tieren und Menschen, von den Kamelen, vor
einem Esel und von den Bettlern und einem Unsichtbaren, einen
Wesen, auf dessen Leben als Leben schlechthin der Autor stolz ist.

    Stolz ist überhaupt ein Lieblingswort des Buches. Hier in Mar
rakesch sieht Canetti in vielerlei Weise Stolz bei den Menschen
die er etwas ausführlicher schildert. Zu den Erzählern auf den

großen Platz, der Djema el Fna, heißt es etwa: *Ich war stolz auf die Macht des Erzählens, die sie über ihre Sprachgenossen ausübten.*[270] Auf diese Weise nimmt der Erzähler der *Stimmen von Marrakesch* mit dem Gefühl des Stolzes auch Anteil an dem Erzählten und verwandelt die erzählten Figuren sich an.

Neu im Vergleich zu den früheren Werken – die Aufzeichnungen ausgenommen – ist das Thema «mein Judentum». Canettis Besuch des Judenviertels von Marrakesch wird als Heimkehr ins spaniolische Judentum erzählt, eine Heimkehr sowohl zur eigenen spaniolischen Familie als auch zu den Ursprüngen der Spaniolen aus der Zeit vor der Vertreibung von 1492. Eine *glückliche Verzauberung* nimmt er bei sich wahr beim Betreten eines Platzes, der ihm der Mittelpunkt, das *Herz* dieses Viertels ist: *Mir war zumute, als wäre ich nun wirklich woanders, am Ziel meiner Reise angelangt. Ich mochte nicht mehr weg von hier, vor Hunderten von Jahren war ich hier gewesen, aber ich hatte es vergessen und nun kam mir alles wieder. Ich fand jene Dichte und Wärme des Lebens ausgestellt, die ich in mir selber fühle. Ich w a r dieser Platz, als ich dort stand. Ich glaube, ich bin dieser Platz.*[271]

Mit liebevoller Zuwendung geht Canetti auf die unterschiedlichsten Einzelheiten, auf Menschen, Gebäudeteile, Stimmungen ein, und mit Scham lehnt er die Einladung zum Purim-Fest bei einer jüdischen Familie ab, weil er fürchtet, die jüdischen Gebräuche nicht mehr so zu beherrschen, wie er sie einstmals als Kind miterlebt hat.

Das gar nicht umfangreiche Werk wird von vielen als Canettis bestes Buch eingeschätzt. Vielleicht wurde es auch deswegen gelegentlich in einen der «Kanons» zur Erzählliteratur des 20. Jahrhunderts aufgenommen.[272]

Mit diesem Buch eröffnet der Hanser Verlag 1964 auch eine neue Buchreihe, die Reihe Hanser. In den Jahren nach 1964 erscheinen hier Gespräche und die wichtigen Essays Canettis, die ihn nun weiteren Kreisen bekannt machen. 1964 erscheinen auch das erste Mal alle drei Dramen zusammen. Diese Veröffentlichung mag dazu beigetragen haben, dass 1965 die Aufführungsgeschichte der frühen Dramen in Braunschweig endlich beginnt.

In den siebziger Jahren findet die neue Wertschätzung der Werke von Elias Canetti ihren Niederschlag in besonderen Aus-

Elias Canetti, 1964. Foto von Horst Tappe

zeichnungen. 1972 ist der höchst angesehene deutsche Büchner-
Preis darunter. Wie bei der Preisvergabe üblich, wird er ihn mit
einer Rede über Georg Büchner entgegennehmen.²⁷³ Weitere grö-
ßere Ehrungen dieser Zeit sind 1976 an der University of Manchester und an der Münchner Universität jeweils die Verleihung
eines Ehrendoktors. Bei dieser Gelegenheit erläutert Canetti an

usführlichsten seine Vorstellungen von der Aufgabe des Dich-
ers.[274] Im Jahr 1977 wächst schließlich die Beliebtheit Canettis
ei sehr vielen Lesern mit dem ersten Band der autobiographi-
chen Erzählungen *Die gerettete Zunge*.

Noch einmal: Canetti und Wien

ach der Emigration blieb Canettis Beziehung zu Wien und Ös-
rreich verständlicherweise belastet. Die Aktivitäten der Natio-
alsozialisten – und das waren auch in Österreich nicht wenige –
aben sich in sein Gedächtnis eingegraben. Es dauert eine Weile,
is man in Österreich die Jahre zwischen 1938 und 1945 kritisch
u reflektieren beginnt. Während sein frühes Werk ganz aus dem
Vienerischen entstanden ist, betont Canetti, dass er das wenige
ute aus Österreich nach London habe mitnehmen können: Nes-
roy, Kraus und Musil.[275] Deutlich erschüttert, *beglückend und er-
chreckend zugleich*, nimmt er die ersten Nachkriegsbilder Wiens,
iner eigentlichen Heimatstadt[276], wahr.

Mit nur wenigen Österreichern hat Elias Canetti in London
ontakt. Der Dichter Erich Fried zählt dazu[277], aber er wird bald
ehr der Freund Vezas. Mit Elias tut Fried sich immer schwerer,
eil der, wie Fried in einem Interview zu verstehen gibt, keine Kri-
k vertrage.[278] Dass Fried häufig bei Veza auftaucht, um ihr seine
edichte vorzutragen und ihr Urteil zu hören, sieht Elias Canetti
der Erinnerung satirisch böse.[279]

Die Schriftstellerin Hilde Spiel kommt in den bisher veröf-
ntlichten oder zugänglichen Schriften und Papieren Canettis
aum vor. Er hat sie nach deren Rückkehr nach Österreich dann
nd wann brieflich um einen Gefallen gebeten. Aus sehr kriti-
her Distanz nimmt Hilde Spiel ihn wahr. Sie erkennt ihn als «be-
eutenden Schriftsteller», seine Eitelkeit jedoch gefällt ihr nicht,
ie sie in ihren Erinnerungen schreibt.

Aus den Erinnerungen von Hilde Spiel geht auch hervor, dass
anetti 1955 zum ersten Mal nach dem Krieg nach Österreich ge-
eist ist.[280] 1959 muss Canetti auch mit seiner Frau Veza nach
sterreich aufgebrochen sein. Bis nach Innsbruck habe er sie mit-
ehmen können, weiter wollte und konnte sie nicht.[281] 1963
hreibt Veza an den österreichischen Schriftsteller und Verleger
iktor Suchy: «Canetti hatte bereits seine Vorlesung in Wien und

Hilde Spiel, 1989. Foto von
Ingrid Kruse

wie ich erfuhr, war es ein Erfolg. Ich kann nicht nach
Wien, so gern ich auch das
Grab meiner Mutter besu-
chen würde, mein Herz is
schon einmal gebrochen, wi
ich weg musste, noch einma
hält es das nicht aus.»[282]

Veza Canetti wechsel
schon seit längerem Brief
mit Suchy, um für desse
Stiasny-Bücherei eine Aus
wahl von Canettis Werke
vorzubereiten.[283] Zwei Jahr
nach Erscheinen von *Mass*
und Macht soll mit einer kle
nen Werkauswahl erneu
ein entsprechender Versuc

gemacht werden. Die repräsentative Auswahl mit dem Titel *We*
im Kopf nennt Erich Fried als Herausgeber – «Eingeleitet und aus
gewählt von ...». Der Dichter sollte wohl auch ursprünglich dies
Aufgaben übernehmen, kam aber – aus welchen Gründen auc
immer – damit nicht zurecht. Stattdessen stammen Auswahl un
Einleitung von Veza Canetti, was typisch für sie ist: Sie nenn
sich nicht als Verfasserin der Einleitung, tritt hinter Fried zurück
sie möchte wohl mit dem Buch nicht nur Elias Canetti, sonder
auch Fried etwas Gutes tun und diesen in Österreich bekann
machen.

Canettis Verhältnis zu Österreich und vor allem zu Wien wir
allmählich wieder besser. Auch in Österreich bemüht man sich ur
den ab den sechziger Jahren berühmter werdenden Autor. Da
Stiasny-Buch hat dazu sicher beigetragen. 1966 folgt eine erst
Neuveröffentlichung in Wien: Im ersten Heft der ebenfalls i
Stiasny Verlag erscheinenden Zeitschrift «Wort in der Zeit» wir
Canettis Rechenschaft *Warum ich nicht wie Karl Kraus schreibe* g
druckt. Der Essay stellt die Kraus'sche Redegabe dar, die Begeist
rung der Zuhörer, denen intellektuelle Hinrichtungen gebote
und die zu einer Hetzmasse gemacht würden. Wenn man zu dies

Masse gehöre, höre auch der eigene freie Wille auf. Dies erkannt zu haben, habe bei Canetti den Widerstand gegen das große Vorbild entstehen lassen.

Es gibt noch weitere Anlässe, nach Wien zu reisen, noch in demselben Jahr 1966 erhält Canetti den Dichterpreis der Stadt Wien und 1968 den Großen Österreichischen Staatspreis. 1969 wird schließlich auch die *Komödie der Eitelkeit* während des Steirischen Herbstes in Graz und 1979 endlich im Wiener Burgtheater aufgeführt, ein Ereignis, das Veza fast mehr als Elias Canetti herbeigesehnt und eine Zeit lang zur Bedingung gemacht hatte, überhaupt wieder in Wien zu erscheinen.[284] Für das Programmheft der Wiener Aufführung schreibt Canetti auch so etwas wie eine Dramaturgie. Wien wäre nicht Wien, hätte das Stück allen gefallen; einen kleinen Skandal gibt es, wenngleich nicht ganz so hohe Wellen schlagend wie zur Erstaufführung der *Hochzeit* in Braunschweig.

Man gibt sich Mühe in Wien, es Canetti recht zu machen; freilich möchten die Wiener selbst etwas vom Ruhm i h r e s Dichters abbekommen. Man beginnt sich in Wien zu fragen, was einmal mit dem Nachlass von Canetti geschehen werde, sollte er nicht Wien den Zuschlag geben? Bis zu den obersten Regierungsstellen bemüht man sich, um noch zu seinen Lebzeiten ein großes Canetti-Symposium zu veranstalten.[285] Und es gibt tatsächlich einiges, was Canetti nach Wien lockt. Er erscheint zu den meisten Preisverleihungen und beginnt mit dem einen oder anderen Literaten Kontakte aufzunehmen.

Einer der liebsten Briefpartner wird ihm Herbert Zand. Dieser hat einen Essay über Canetti geschrieben, der den Londoner Emigranten als einen Dichter vorstellt, der modern sei und dennoch eine Moral bewahrt habe. «Um das Außerordentliche der Liebe zu begreifen, zu der Canetti fähig ist», schreibt Zand, «muss man wissen, dass diese Liebe schonungslos und eifernd ist. Mit keinem Wort predigt Canetti Großmut und Versöhnung mit geschlossenen Augen.»[286] Canetti fühlt sich verstanden. Zand sieht die Canetti'schen Affekte und die ihm wichtige «Versöhnung». Zudem imponiert Canetti, dass Zand jemand sei, der vorbildlich gegen den Tod ankämpfe; Zand stirbt nach einer ganzen Reihe von Operationen infolge einer schweren Kriegsverletzung.[287]

Eine Notiz von Paul Nizon am 11. Mai 1978 zeigt Canettis erwachtes Interesse an Wien: «Ich sprach ihm von meiner Beeindruckung durch Wien, worauf er meint, seit kurzem habe er auch wieder diese Neigung für Wien und möchte demnächst gerne eine gewisse Zeit da verbringen.»[288]

Aber Canetti hat in Österreich nicht nur Freunde. Ein Intimfeind muss erwähnt werden: der Schriftsteller Thomas Bernhard. Die intellektuelle Gegnerschaft wird öffentlich, als Bernhard sich mit einem kleinen bissigen Leserbrief in der «Zeit» zu Wort meldet, nachdem kurz vorher am 6. Februar 1976 ebenfalls in der «Zeit» Canettis Rede *Der Beruf des Dichters* erschienen war. Am Ende dieser Rede postuliert Canetti eine Haltung des Dichters, vor der sich Bernhard provoziert fühlt: Des Dichters *Stolz wird es sein*, so Canetti, *den Abgesandten des Nichts, die in der Literatur immer zahlreicher werden, zu widerstehen und sie mit anderen als ihren Mitteln zu bekämpfen.* Das Gesetz, nach dem der Dichter zu leben habe, laute, dass *man niemand ins Nichts verstößt, der gern dort wäre. Daß man das Nichts nur aufsucht, um den Weg aus ihm zu finden und den Weg für jeden bezeichnet [...].*[289]

Zurück in Zürich
(1971 – 1994)

Die Tatsache, dass ihm in England kaum jemand die Trauer um seine verstorbene Frau abnimmt, vertreibt Canetti zunächst aus London. Seine psychische Verfassung ist desolat.[290] Generell wird sein Verhältnis zu England immer schlechter. Das geht so weit, dass er 1982 eine englische Ausgabe der *Fackel im Ohr* zunächst nicht für England freigibt.[291] Er flieht nach Paris zu seinem Bruder

Maiunruhen in Frankreich 1968: Studenten streiken vor der Sorbonne

Georges Canetti, Juli 1969

Georges. Überhaupt zieht es ihn in diesen Jahren jetzt öfter nach Paris. Im Mai 1968 sitzt Canetti sogar im Hörsaal der Sorbonne, er hört Jean-Paul Sartre und will die Studenten erleben und damit weitere Merkmale der Masse in ihrem neuesten Verhalten studieren.

Dabei zieht es ihn auch nach Zürich, wo Elias Canetti noch einmal eine Ehegemeinschaft lebt und Vater wird.

Die zweite Ehefrau Hera Buschor (1934–1988), Tochter des berühmten Archäologen Ernst Buschor, ist eine vielfach geschätzte Restauratorin. Sie wurde am renommierten Münchener Doerner-Institut ausgebildet und später zu einer international anerkannten Fachkraft. Canetti lernt die hübsche schlanke Frau bereits 1957 in London kennen, wo sie ein Praktikum an der Tate Gallery absolviert. Anfang der sechziger Jahre begegnen sie sich dann häufiger. Bei einer Familie Hell in London finden weitere Treffen statt. Beziehungen, die für ihn sehr wichtig wurden, haben bei Canetti stets eine lange Vorlaufzeit. Er selbst bemerkt dies einmal in den Notizen zum zweiten Band seiner Lebensbeschreibung.[292] Veza lernt er 1924 kennen, ein Jahr vergeht, bis er sie überhaupt wiedersieht. Herbert Patek alias Thomas Marek kennt Canetti vom Sehen her mehrere Jahre, bis er ihn besucht. Mit Abraham Sonne ging es ähnlich. Verallgemeinert und radikalisiert heißt es darüber in einer Aufzeichnung: *Erstes Gespräch mit Menschen, die er seit zehn Jahren vom Sehen kennt, die er täglich fragend angesehen hat und sie fragend ihn. Viele solche Menschen soll einer haben und dann, nach Jahren, das Wort an sie richten.*[293]

Bei Hera Buschor und Elias Canetti ist die Zeit zwischen dem ersten Kennenlernen und einer näheren Verbindung erst recht ziemlich ausgedehnt. Das liegt freilich auch an den besonderen

Umständen, an den erfreulichen und schlimmen Tagen – die sechziger Jahre zählen zu den bewegtesten in Canettis Leben.

Hera Buschor nimmt 1960 eine Stelle am Kunsthaus in Zürich an, wo sie sich als fachlich äußerst kompetente und zugleich zurückhaltende Restauratorin, als vielseitige Kunstkennerin, die auch außergewöhnlich viele Sprachen beherrscht, schnell große Sympathien erwirbt. Ihre mit Maß durchgeführten Restaurierungsarbeiten werden noch heute geschätzt. «Zu den Kaffeepausen in unserem Restaurierungsatelier», erinnert sich der Restaurator des Kunsthauses Paul Pfister, «fanden sich oft auch Studenten, Schriftsteller, Künstler und gestrandete Reisende ein, die von ihr ermuntert und unterstützt wurden.»[294] Die deutliche Parallele in diesem Engagement zu Canettis erster Frau Veza ist nicht zu übersehen.

Die Arbeit im Kunsthaus läuft bis 1967 für Hera Buschor über eine anfänglich halbjährige Teilzeitstelle; die Arbeitszeit in den Sommermonaten hält sie sich für ihre Mitarbeit am Deutschen Archäologischen Institut in Samos frei. Nebenher studierte sie noch Chinesisch und chinesische Literatur- und Kulturgeschichte.[295] Im Jahr 1971 heiraten Elias Canetti und Hera Buschor in London, im Jahr darauf kommt die Tochter Johanna zur Welt – der ganze Stolz des jungen Ehepaares, wie man der befreundeten Familie von H. G. und Bettina Adler in London berichtet.[296] Hera Buschor, jetzt Hera Canetti, arbeitet weiterhin halbtags im Kunsthaus. Mit der Heirat und der Geburt der Tochter beginnt für den Vater, der immerhin bereits 67 Jahre alt ist, eine neue Lebensphase. Er ist von nun an immer weniger in London und lässt sich mehr und mehr in Zürich nieder; offiziell verlegt er den Wohnsitz von London nach Zürich jedoch erst 1988.

In Zürich lebt die Familie in einer Wohnung in der dritten Etage der Klosbachstraße 88. Das Haus ist für Züricher Verhältnisse ein relativ einfach gebauter Wohnblock, die Wohnung nicht sehr groß. Sie bietet gerade mal für jeden ein Zimmer und ein gemeinsames Wohnzimmer neben den sonstigen notwendigen Räumlichkeiten. Canettis Arbeitszimmer in dieser Wohnung ist ebenfalls nicht sehr groß und aufs schlichteste eingerichtet. An den beiden Längsseiten stehen in dichten Reihen nach ganz eigenem Aufstellungsprinzip die Lieblingsbücher nebeneinander. An einer Seite ist das Bücherregal um das einfache Bett verkürzt, über dessen Kopfseite ein einziges Bild hängt, ein Stillleben mit Früchten, in dem ein freundliches Grün dominiert. In der Mitte zwischen den Regalen steht ein länglicher Tisch mit Stehlampe; seine relativ große Holzplatte bleibt gänzlich leer – bis auf die berühmte Phalanx penibel gespitzter Bleistifte, etwa ein gutes Dutzend oder mehr. Die Bleistifte sind für die tägliche Schreibarbeit aufgereiht, und es müssen so viele sein, weil der Autor nicht selten derartig heftig agiert, dass die Spitzen abbrechen. Um den Schreibfluss dadurch nicht aufzuhalten, muss immer ein neuer gespitzter Bleistift griffbereit sein.

Das Haus liegt auf halber Höhe am Berg über dem Zürichsee. Canetti hat von hier aus einen ansprechenden Blick auf die Stadt, wie er ihn auch bei seinem ersten Aufenthalt in der Stadt 1913 gehabt haben muss. Durch das Fenster des Arbeitszimmers sieht man auf die Zweige einer mächtigen prachtvollen Platane, die Canetti Trost und ein wenig Ruhe gibt in bald wieder raueren Zeiten. Seine Frau bekommt noch in den siebziger Jahren Brustkrebs. Zweimal, 1976 und 1977, muss sie operiert werden. Der seit langer Zeit immer wieder mit Zigarettenspitze abgebildete heftige Raucher Canetti hat seiner und ihrer Gesundheit zuliebe das Rauchen aufgegeben. Nizon zeigt sich erschüttert, als er ihn 1978 antrifft: «Canetti ist eingeschrumpft, was sich vor allem im Gesicht zeigt [...]. Er hat zehn Kilo verloren, raucht nicht mehr, trinkt nicht (wegen Zucker) und lebt

Das Haus mit der Platane
in der Klosbachstraße 88

Elias und Hera Canetti im ihrer Tochter Johanna, um 1975

uch sonst auf Diät.»[297] 1984 bekommt Hera Canetti Lungenkrebs,
er nicht operiert werden kann; sie stirbt daran am 29. April 1988
n Alter von nur 55 Jahren. Erneut trifft Canetti damit ein schwe-
er Schlag, erneut hat er eine ihm liebe Person überlebt. Nicht ohne
itterkeit schreibt er an eine gute Bekannte seiner verstorbenen
rau: Er sei zwar von Klage erfüllt *wie kein Mensch*, aus Stolz kön-
e und wolle er aber keine Klage laut werden lassen; *[...] seit Heras*
od habe ich die Geduld für alle Tröstungen, nicht nur die der Religion
erloren [...].[298] Hera Canetti wird auf dem Friedhof in Breitbrunn
n Ammersee in Oberbayern neben ihrem Vater Ernst Buschor
eerdigt.

Tochter Johanna und Vater Elias Canetti beschließen, zusam-
en und allein in der Wohnung zu bleiben. Mit zunehmendem
uhm – seit dem Höhepunkt des Nobelpreises 1981 – klopfen im-
er mehr Besucher bei den Canettis an. Der Vielgefragte hat Mü-
e, sich die an ihn drängenden Bittsteller und Neugierigen vom
eibe zu halten. Diese Abwehr, die ihm insgesamt gelingt, wird
m ein andauernder persönlicher Kampf, ist er doch weiterhin
lbst neugierig auf Menschen. Wenn dann jemand zu ihm vorge-

drungen ist, beginnt er zu erzählen und kann nicht mehr auf hören. Mit zunehmendem Alter ist er dann manches Mal arg er schöpft und ärgert sich über sich selbst, wieder so entgegenkom mend gewesen zu sein. Doch es drängt Canetti auch zu imme weiteren Mitteilungen. Nicht selten werden die Gespräche über raschend vertrauensvoll im nahe gelegenen Restaurant Römerho beim Essen fortgesetzt.

Die spannenden Lebenseroberungen des Kindes sind es, di Canetti noch einmal fesseln. In seinen Aufzeichnungen der siebzi ger Jahre ist das gelegentlich zu spüren: *Das Kind fürchtet noch ke nen Menschen. Es fürchtet auch kein Tier. Es hat eine Fliege gefürchte und während einiger Wochen den Mond.*[299]

Angelehnt an seine zweite Ehefrau, beschäftigt sich Canett mit dem faszinierenden alten und sich verändernden neuen Chi na – in London gibt man ihm den Spitznamen «Konfuzius»[300] Canetti verspricht sich eine gewisse Zeit lang von den verschie densten Maßnahmen im Reich der Mitte Bestes für die Menscher So sieht er etwa in dem zeitweise durchgeführten Arbeitswech sel von der Stadt aufs Land und umgekehrt eine Möglichkeit fü Verwandlungen und ein Ausbrechen aus der Spezialistenstarr der westlichen Alltagswelten.[301] Die spätere bittere Enttäuschun über die verheerenden Ereignisse auf dem Pekinger Platz de Himmlischen Friedens ist damals noch nicht abzusehen. Die Ehe leute Canetti planen eine Chinareise. Wegen der Krankheit vor Hera wird diese nicht mehr möglich.

Canetti beginnt nun auch ernsthaft eine relativ neue Seite de Schreibens, die autobiographischen Erzählungen. Freilich ist da für nicht allein die neue Familiensituation der Grund. Eine An fangsmotivation liegt in der Krankheit und dem schon 1971 be trauerten Tod seines Lieblingsbruders Georges in Paris. Der erst Band *Die gerettete Zunge* ist dann auch Georges Canetti gewidme So sind es die eigene Herkunftsfamilie und die eben gegründet neue Familie, die für das autobiographische Schreiben neue An stöße geben. Mit dem Erzählen von der früheren Familie sollen di Angehörigen in einem erinnerten Leben festgehalten werder und der eben geborenen Tochter soll eine gewesene Welt so ge zeigt werden, wie sie der Vater verstanden wissen will.

Der Ohrenzeuge»

Nur scheinbar überraschend kommt 1974 ein neues Buch von Canetti heraus. *Der Ohrenzeuge. Fünfzig Charaktere.*

Auch diese neue Arbeit wird von den *Aufzeichnungen* begleitet. Das Buch trägt die Widmung *Für Hera und Johanna.* Der Untertitel *Fünfzig Charaktere* verweist auf die Tradition, in der dieses Buch Canettis steht: Es ist den «Charakteren» des Theophrastos verpflichtet und dessen neuzeitlichen Nachfolgern wie etwa La Bruyère. Das Buch schließt aber auch an Canettis eigene Tradition an und nimmt den Erfindungsfaden von seinen schriftstellerischen Anfängen und von zahlreichen Einfällen der *Aufzeichnungen* auf. Die Charakterskizzen sind jeweils ungefähr zwei Druckseiten lang und tragen überwiegend Namen, die die Einfälle in neuen Wortzusammensetzungen erkennen lassen. Da finden sich *Die Königsleckerin, Der Namenslecker, Der Tränenwärmer, Der Schönheitsmolch, Die Tischtuchtolle, Die Bitterwicklerin, Der Nimmermuss* und viele andere, unter denen dann auch sozusagen normalere Namen vorkommen wie *Die Schuldige.* Ob im neologischen Kompositum oder in der bisherigen Sprachtradition angekündigt, alle Charaktere zeichnen sich durch groteske Übertreibungen und Verzerrungen menschlicher Eigenschaften oder Schwächen aus. Sie ergeben nicht etwa in Analogie zu Theophrast oder La Bruyère ein Sittengemälde der siebziger Jahre des 20. Jahrhunderts. Sie bilden vielmehr eine groteske Sammlung von menschlichen Existenzialien. Da geht es um Tod und Sterben (etwa in *Der Demutsahne*), um das Begehren von Mann und Frau (besonders in *Die Sultansüchtige*), um orthodoxe Anwendungen von Offenbarungsschriften (in *Der Gottprotz*); das Zeitproblem wird mehrfach behandelt oder die Macht der Sieger. Von solchen menschlichen Problemstellungen wird stets sehr konkret und situativ erzählt. Die ersten Sätze fallen häufig aus dem Himmel der Canetti'schen Phantasie; das Ende von *Der Maestroso* nimmt auch in anderen Schriften behandelte Gedanken auf: *Der Maestroso weiß, daß er alt werden wird, er kennt die Zahl seiner Jahre. Wenn er mit seiner Darbietung besonders zufrieden war, veranstaltet er ein Fest [...]. Dann lächelt er, – er hat noch nie gelacht –, und läßt jeden aus der Runde einzeln zu sich kommen. «Zeig deine Hand!», befiehlt er und besieht sich kundig die Linien. Er sagt ihm, wie jung er sterben müsse, er winkt dem nächsten.*[302]

Das wiederholt eine bereits im *Augenspiel* geschilderte Handlung des Dirigenten Hermann Scherchen, der sich so die Hände zeigen ließ, um den jungen Elias Canetti zu demütigen.[303]

Auch in den *Befristeten* ist eine solche Altersbestimmung Thema. Und wenn man berücksichtigt, wie bedeutend das Thema des Überlebens für die Canetti'sche Machtproblematik ist, so sind diese Charakterskizzen, so leicht sie stilistisch auch wirken mögen, im Zentrum von Canettis Denken angesiedelt.

Canetti kommentiert diese Skizzen 1974 auf der Schallplattenhülle einer von ihm selbst gelesenen Aufnahme: *Über einen einzelnen Menschen, wie er wirklich ist, ließe sich ein ganzes Buch schreiben. Auch damit wäre er nicht erschöpft und man käme mit ihm nie zu Ende. Geht man aber dem nach, wie man ihn im Gedächtnis behält, so kommt man auf ein viel einfacheres Bild: es sind wenige Eigenschaften durch die er auffällt und sich besonders von anderen unterscheidet. Diese Eigenschaften übertreibt man sich auf Kosten der übrigen […]. Sie sind was sich einem am tiefsten eingeprägt hat, sie sind der Charakter [...]. Wie viele Tiere, erscheinen die Charaktere vom Aussterben bedroht. Aber in Wirklichkeit wimmelt die Welt von ihnen, man braucht sie nur zu erfinden, um sie zu sehen. Ob sie bösartig sind oder komisch, es ist besser, daß sie nicht von der Erdoberfläche verschwinden.*[304]

Die letzten Sätze formulieren einen weiteren wichtigen Gedanken Canettis: Man erkennt die Welt erst eigentlich, wenn sie ein Künstler erfunden hat. In diesem Sinn ist auch der vorletzte der fünfzig Charaktere zu verstehen, *Die Erfundene*, eine Skizze, die einen Menschen erfindet, der voller Widersprüche oder Paradoxien ist.

DIE SPÄTE GROSSE ANERKENNUNG

Der Nobelpreis für Literatur verhilft einem Autor häufig erstmal zu einem materiell sorgenfreien Leben. Das ist bei Canetti nicht mehr nötig, das ist bei ihm auch wie stets nicht so wichtig. Der Preis stellt einen Autor auch für eine gewisse Zeit ins Rampenlicht einer neugierigen Öffentlichkeit. Imre Kertész etwa wurde in seinem Heimatland Ungarn erst eigentlich durch diesen Preis bekannt. Er selbst sagte, der Preis sei für ihn eine «glückliche Katastrophe», und die katastrophale Folge sei, dass er plötzlich dauernd irgendwie verlangt werde. Andere wie Günter Grass scheinen die

olle des Ruhmreichen zu nutzen, um in der öffentlichen Diskus-
ion vielfältiger Themen noch mehr Gehör zu finden.

Canetti hat zeitlebens ein gespaltenes Verhältnis zum Ruhm.
inerseits sorgt er dafür, dem Ziel, noch in hundert Jahren gelesen
u werden, näher zu kommen, andererseits ist ihm Ruhm etwas
öchst Suspektes. Als im Herbst 1981 bekannt wird, Elias Canetti
rhalte den Nobelpreis, zieht der sich aus der Öffentlichkeit zu-
ück. Journalisten finden an seiner Wohnungstür in Zürich einen
ettel mit einer kargen, doch für ihn typischen Notiz, sinngemäß:
lles, was Sie von mir wissen wollen, steht in meinen Büchern.[305] Auch
m Telefon versucht sich Canetti von nun an zu entziehen – mit
einer altbekannten Schauspielerei, sich erst einmal als sein
*ienstmädchen auszugeben. Man hat Canetti diese Enthaltsam-
eit gegenüber der Öffentlichkeit übel genommen. Ein Autor müs-
e sich einmischen in den öffentlichen Disput der Intellektuellen.
Jo kämen wir hin, ohne das «J'accuse» eines Émile Zola. Canetti
ntspricht dem ganz und gar nicht. Die öffentlichen Dispute, vor
llem wenn sie in den Zeitungen, im Feuilleton, ausgetragen wer-
en, sind ihm bei aller geschätzten Notwendigkeit verdächtig.

Der schwedische König Carl Gustav überreicht Elias Canetti
am 10. Dezember 1981 in Stockholm den Nobelpreis für Literatur

Im Verhalten Canettis seit dem Nobelpreis tritt wieder sein Einzelgängertum hervor. Er nimmt die hohe Ehrung an und hält bei der Preisübergabe eine kurze Rede, in der er die drei ihm wichtigen Orte, die Städte Wien, London und Zürich preist und ihren Einfluss auf sein Leben bekennt. Daneben verbeugt er sich vor den vier für ihn äußerst bedeutsamen Dichtern, für die er sozusagen stellvertretend den Preis entgegennehme: Franz Kafka, Karl Kraus, Robert Musil und Hermann Broch.[306]

Hingerissen zählt er die Meuten auf, denen er abwechselnd angehört hat. Mal diese, mal jene, immer eine. Traurig die meutelosen Strecken. Wie soll einer niemanden zum Mitbeißen haben? Wie soll einer allein zubeißen?

Die letzte der von Canetti selbst zur Veröffentlichung ausgewählten Aufzeichnungen von 1993

Die letzten Jahre seines Lebens bringen noch einiges Schöne und eine Menge Ärger und Verdruss. Canetti freut sich, als ab 1990 auch die Werke seiner ersten Frau Veza veröffentlicht werden. Politisch ist es das Ende des Kalten Krieges, was ihn beschäftigt, das Wirken von Michail Gorbatschow, das den friedlichen Umwäl

Elias Canetti mit Jeremy Adler und Johanna Canetti in Zürich, 1990 Foto von Eva Adler

ungen in Osteuropa endlich den Weg bereitet.[307] Schlimm wiederum ist ihm der neue Balkankrieg – ihm ein Zeichen dafür, das eben nur in Zeiten von Kriegen verbracht zu haben.

Soweit es sein Sehvermögen erlaubt – er muss Anfang der neunziger Jahre eine Augenoperation über sich ergehen lassen –, arbeitet Canetti bis ins hohe Alter. Er hat Pläne, ein Buch über den Tod zu schreiben. Er sichtet seine *Aufzeichnungen* und schreibt an den Erinnerungen *Party im Blitz*. Auch überlegt er lange, wo seine Handschriften und Bücher einmal einsehbar sein sollen. Er entscheidet schließlich, dass alles in Zürich bleiben soll, und zwar in der Züricher Zentralbibliothek. Er schenkt der Stadt die größten Teile seines Nachlasses, mit Auflagen. Der handschriftliche Nachlass nimmt dort über 220 Kartons in Anspruch. Die 18 500 Bücher sind in zwei Abteilungen, den Londoner und den Züricher Teil, aufgestellt. Canetti verfügt, dass die meisten Schriften zehn Jahre nach seinem Tod einsehbar sein sollen, die Briefe und die Tagebücher aber erst dreißig Jahre später, also im Jahr 2024.

Am 14. August 1994 stirbt Elias Canetti in Zürich. Am 17. August wird er in einem Ehrengrab der Stadt neben James Joyce beerdigt. Es nimmt nur der engste Familien- und Freundeskreis an der Bestattung teil. Am 18. August wird sein Tod auch offiziell bekannt gegeben. Eine schlichte quadratische Marmorplatte mit seinen Lebensdaten 1905 – 1994 und seiner Signatur bildet den Grabstein auf dem Friedhof in Fluntern hoch über der Stadt.

Noch zu Lebzeiten von Elias Canetti hat die Verbreitung seines Namens Unterschiedliches bewirkt. Es gibt in Österreich ein «Canetti-Stipendium»; in Frankfurt an der Oder wird gastweise ein «Canetti-Lehrstuhl» besetzt. Schließlich gibt es im bulgarischen Russe, dem ehemaligen Rustschuk, eine sehr rührige Internationale Canetti-Gesellschaft, die wie viele Institutionen und Wissenschaftler heute das Andenken und das Verständnis des Canetti'schen Werks zum Ziel haben. Hier in Russe und anderswo trifft man sich zum 100. Geburtstag von Elias Canetti – und immer wieder kommen dabei wie im Leben des Dichters der Osten und der Westen Europas zusammen.

ANMERKUNGEN

Es werden im Folgenden nur Kurztitel angeführt. Die ausführlichen Angaben stehen in der Bibliographie. Das gilt auch für die Titel Canettis, aus denen in der Regel nach der Erstausgabe zitiert wird. «Nachlassmaterialien» (N) verweisen auf den Nachlass Canettis in der Zentralbibliothek Zürich. Den Mitarbeitern in der Handschriftenabteilung dort sowie den Mitarbeitern im Österreichischen Literaturarchiv, in der Österreichischen Nationalbibliothek und im Deutschen Literaturarchiv in Marbach a. N. danke ich für freundliche Hilfen. Besonderer Dank sei aber Frau Johanna Canetti für ihre Unterstützung ausgesprochen.

Aus der neuen großen Canetti-Biographie von Sven Hanuschek, München 2005, konnten mit Dank noch einige Details berücksichtigt werden.

1 Canetti, Nachträge, S. 44. Ähnlich in den N.
2 So der Titel des Buches von Canetti, München 1972.
3 Canetti, Aufzeichnungen 1992–1993, S. 93. Ähnlich in den N zum *Augenspiel*, wo zu der Tatsache, dass ihm nie etwas passiert sei, hinzugesehen wird, dass er immer behütet wurde. (Blatt 30 vom 6. Mai 1984.)
4 Einer der Buchtitel von Canetti, München 1980.
5 Ein weiterer Buchtitel, München 1974.
6 Der Ausdruck stammt von Hans Mayer.
7 Canetti, Provinz, S. 45 f.
8 So im Nachlass Canettis.
9 In einem Brief an den Weismann Verlag, der sich im Literaturarchiv Marbach, Nachlass Weismann, befindet, gibt Veza Canetti zwar als Verfasser Canettis Bruder Georges

Canetti an, was aber nicht stimmen muss; einige Signale, vor allem das Wort «Heimaten», also der Plural, deuten eher auf ihre Verfasserschaft hin. Sie kann dieses Wort in den Gedichten Franz Baermann Steiners kennen gelernt haben. In einem ähnlichen Fall nennt sie Erich Fried als Verfasser der Einleitung zur ersten Werkauswahl von Elias Canetti, was sich nachweislich als falsch herausgestellt hat. Dazu auch Schedel, S. 188 ff.
10 Canetti, Blendung (1948), S. 507.
11 Canetti, Zunge, S. 11.
12 Dies und das Folgende in: Canetti, Zukunft, S. 106 f.
13 Vgl. Konstantinov, S. 2 ff.
14 Ebenda.
15 Canettis Gespräch mit Rudolf Hartung. In: Selbstanzeige, S. 28.
16 So in der Geburtsurkunde im Stadthaus des heutigen Russe. Vgl. Konstantinov, S. 3.
17 Canettis Gespräch mit Rudolf Hartung. In: Selbstanzeige, S. 28.
18 Canetti, Zunge, S. 360.
19 Er ist allerdings nicht der einzige Elias in der großen Familienwelt der Canettis und Ardittis; es gibt noch einen Cousin mit demselben Namen. Von diesem Cousin ist auch die Rede in der Autobiographie von Canettis Bruder. Jacques Canetti, On cherche jeune homme aimant la musique. Paris 1978, S. 10 f. und 85.
20 Julius H. Schoeps (Hg.): Neues Lexikon des Judentums. Gütersloh/ München 1992, S. 131.
21 Canetti, Gespräch mit Joachim Schickel. In: Canetti, Zukunft, S. 104. Vgl. auch R. Zymner.
22 Ebenda, S. 104 f.
23 Canetti, Zunge, S. 279. Zur Bedeutung der Namen bei Canetti gibt es viele Aufzeichnungen; eine der bedeutendsten, weil wie der Entwurf einer eigenen Abhandlung wirkend, in: Canetti, Nachträge, S. 40
24 Canetti, Zunge, S. 49 f.

5 Ebenda, S. 9.
6 Ebenda, S. 44 f.
7 Ebenda, S. 299 ff.
8 Ebenda, S. 48 f.
9 Ebenda, S. 37 ff.
0 Vgl. Heinrich Heine: «Buch der Lieder», Mittelteil «Lyrisches Intermezzo», Lied Nr. 33: «Ein Fichtenbaum steht einsam / Im Norden auf kahler Höh›. [...] Er träumt von einer Palme, / Die fern im Morgenland [...].»
: So in der «Jewish Exibition», einem Projekt der Abteilung Jewish Studies an der University of Manchester. Ankündigung im Internet.
: Canetti, Zunge, S. 61.
: Ebenda, S. 59.
: Ebenda, S. 97.
: Ebenda, S. 80–82 und in: Canetti, Augenspiel, S. 240–243.
: Canetti, Zunge, S. 90 f.
: Ebenda, S. 120 f.
: Wie Anm. 26, S. 11. Deutsch vom Verf.
: Canetti, Zunge, S. 196.
: Ebenda, S. 97.
Ebenda, S. 102.
Ebenda, S. 103 ff.
Das wird übereinstimmend etwa von Jean Améry und Joseph Roth berichtet. Auch Canetti geht gelegentlich darauf ein.
Canetti, Zunge, S. 156 f.
Man vgl. die ausführliche Würdigung des Toleranzpatents in: Wilma Iggers (Hg.): Die Juden in Böhmen und Mähren. Ein historisches Lesebuch, S. 46 ff.
Canetti, Zunge, S. 117.
Ebenda.
Ebenda, S. 116.
Ebenda, S. 301 ff.
Ebenda, S. 360 f.
Ebenda, S. 361.
Ebenda, S. 298. «Schanzenberg» ist der Name des Schulhauses, in dem das neue Schuljahr im Frühjahr 1920 begann.
Ebenda, S. 299 ff.
Ebenda, S. 300.

55 Ebenda, S. 326.
56 Vgl. Anm. 27, S. 133 f.
57 Canetti, Aufzeichnungen 1992–1993, S. 73 f.
58 Canetti, Zunge, S. 136 f.
59 Ebenda, S. 129.
60 Ebenda, S. 177.
61 Ebenda, S. 212.
62 Ebenda, S. 191.
63 So argumentiert Canetti auch als ungefähr Dreizehn- oder Vierzehnjähriger gegen Rudolf Steiner, als die Mutter ihm von dessen Vorträgen erzählt und Steiner als Redner sehr hypnotisch findet. Ebenda, S. 227 ff.
64 Ebenda, S. 229.
65 Ebenda.
66 Ebenda, S. 241.
67 Ebenda, S. 194.
68 Peter Conradi: Iris Murdoch. A Life. London 2001, S. 346.
69 Canetti, Zunge, S. 273.
70 Ebenda.
71 Canetti, N zu Zunge.
72 Canetti, Zunge, S. 240.
73 Beide heute am leichtesten zugänglich in: Canetti, Gewissen der Worte.
74 Ebenda, S. 211.
75 Man vgl. den Band Canetti, Über Tiere.
76 Canetti, Zunge, S. 319.
77 Ebenda, S. 321.
78 Ebenda, S. 358.
79 Ebenda, S. 359.
80 Ebenda, S. 202 f.
81 Ebenda, S. 269.
82 Ebenda, S. 271.
83 Ebenda, S. 270.
84 Ebenda.
85 Canetti, Fackel, 1. Kapitel.
86 Canetti, N Karton 227 c, Schulzeugnisse u. a. der Frankfurter Zeit.
87 Wie Anm. 26, S. 12.
88 N Karton 227 c.
89 Ebenda.
90 Canetti, Zunge, S. 370 u. 372.
91 Canetti, Fackel, S. 122.
92 Canetti, Gespräch mit Rudolf Hartung. In: Selbstanzeige, S. 29.

93 Maschinenschriftliche Dissertation der philosophischen Fakultät, Wien 1929. In der Österreichischen Nationalbibliothek ist die Arbeit einsehbar.

94 Vgl. Albrecht Schöne: Zum Gebrauch des Konjunktivs bei Robert Musil. Zuerst in: Euphorion 55 (1961), S. 196–220. Mit Änderungen in: Jost Schillemeit (Hg.): Interpretationen, Band 3: Deutsche Romane […]. Frankfurt a. M. 1966 (= Fischer Bücherei 716), S. 290–318.

95 Vgl. etwa Canetti, Fliegenpein, Aufzeichnungen zu Abschnitt IX.

96 Canetti gebraucht den Begriff für eine potenzielle Literaturgeschichte: Provinz, S. 330.

97 Vgl. Anm. 12.

98 Canetti, Das erste Buch, in: Gewissen, S. 231 f.

99 Canetti, Fackel, S. 184 ff.

100 Ebenda, S. 80 ff.

101 Ebenda, S. 85.

102 Ebenda.

103 Ernst Fischer: Erinnerungen und Reflexionen. 2. Aufl., Frankfurt a. M. 1987, S. 238 (1. Aufl., Reinbek 1969). Ein Exemplar ist in Canettis Bibliothek vorhanden; es stammt, laut Eintragung von Canettis Hand, aus der Bibliothek seines Bruders Georges.

104 Canetti, Fackel, S. 82.

105 Ebenda, S. 83.

106 Die Bibel, 1. Könige 17,4 ff.

107 Vgl. Schedel, S. 139. In handschriftlichen Entwürfen nennt ihn Canetti auch einmal *Mento Alkalay.*

108 Canetti, Fackel, S. 155.

109 Veza Canetti: Geld – Geld – Geld. In: TEXT + KRITIK, 156, Veza Canetti. 2002, S. 15 ff. Die Erzählung erschien zuerst mit dem Pseudonym in: Die Stunde, Nr. 4244 vom 1. 5. 1937, Sonntagsbeilage.

110 Vgl. Schedel, S. 139, und Canetti, Fackel, S. 142–155.

111 Canetti, Fackel, S. 177 ff.

112 Ernst Fischer, Erinnerungen un Reflexionen, S. 271.

113 Veza Canetti: Die Gelbe Straße. München 1990, Nachwort, S. 179, und Schedel, S. 203 ff.

114 Canetti, Mitteilung an den Verf So wird hier auch später noch auf Gespräche verwiesen, die der Verf. zwischen 1988 und 1990 mit Elias Canetti geführt hat. 19. Februar nach Mitteilung der Israelischen Kultusgemeinde Wien.

115 Canetti, Fackel, S. 83 f.

116 Christian Wagenknecht: Die Vorlesungen von Karl Kraus. Ein chronologisches Verzeichnis. In: Kraus-Hefte, H. 35/36, 1985, S. 12. Vgl. auch Karl Kraus: Die Fackel 649, 1924, S. 81.

117 Vgl. Anm. 129, S. 292.

118 H. G. Adler: Masse oder Mensch In: Ders., Die Freiheit des Menschen. Aufsätze zur Soziologie und Geschichte. Tübingen 1976, S. 1–85.

119 Canetti, Fackel, S. 109.

120 Ebenda, S. 110.

121 Ebenda.

122 Ebenda.

123 Ebenda, S. 140.

124 Es gibt einige Arbeiten, die dem Verhältnis von Canetti zu Freud nachgehen. Vgl. etwa Mario Erdheim: Canetti und Freud als Leser von Schrebers «Denkwürdigkeiten eines Nervenkranken». In: Akzente, H. 3 (1995), S. 252.

125 Diese und weitere Angaben zu 15. Juli 1927 entnehme ich Gerald Stieg: Frucht des Feuers, S. 11 ff., 4 u. ö.

126 Canetti, Fackel, S. 174.

127 Ebenda, S. 280.

128 Ebenda.

129 Canetti, Masse und Macht, S. 82 ff.

130 Die Möglichkeit jedenfalls geht aus einem undatierten Brief in den Materialien zur Fackel (vor 24. 11. 1979) hervor.

131 Karl Kraus: Schriften. Hg. v.

Christian Wagenknecht. Band 12: Dritte Walpurgisnacht. Frankfurt a. M. 1989 (= Suhrkamp Taschenbuch 1322), S. 332.

32 Ebenda, S. 12.

33 Elias Canetti hat das öfter erzählt, auch Mitteilung an den Verf.

34 Man vgl. George Grosz: Ecce Homo; die Mappe bekommt Canetti im Juli 1928 von Grosz geschenkt, möglicherweise als Geburtstagsgeschenk zum 25. 7. und in guter Laune von Grosz, der einen Tag zuvor Geburtstag hat.

35 Canetti, Fackel, S. 303 f.

36 Ebenda, S. 303 f.

37 Ebenda, S. 339 ff.

38 Vgl. Anm. 111, S. 228.

39 Es kann sein, dass er auch *Herbert Potek* heißt; ganz eindeutig lässt sich die Handschrift Canettis in diesem Fall nicht lesen.

40 Canetti, N zu *Die Fackel im Ohr*.

41 Canetti, Mitteilung an den Verf.

42 Jetzt am einfachsten nachzulesen in Band X der Werke, Aufsätze, Reden, Gespräche, S. 7 f.

43 Die Ablehnung von Auftragsarbeiten besonders für Zeitungen hat Canetti sein Leben lang durchzuhalten versucht. Man vgl. dazu auch Marcel Reich-Ranicki: Mein Leben. Stuttgart 1999, S. 453.

44 Canetti, Mitteilung an den Verf.

45 Diese Übersetzung Canettis taucht bisher in keiner Canetti-Bibliographie auf. Der Verf. fand die «Festnummer» der Zeitschrift vor einiger Zeit in einem Antiquariat.

46 Canetti, Gewissen, S. 229 f.

47 «Der gute Vater» ist der Titel des Kapitels, in dem der Hausbesorger ausführlich vorgestellt wird. Canetti hat dieses Kapitel häufig für seine Lesungen ausgesucht.

48 Das Lied stammt ungefähr von 1928. Zitiert nach einer Tonaufnahme von Hellmuth Qualtinger und André Heller.

49 Gerald Stieg, Jean-Marie Valentin (Hg.): Ein Dichter braucht Ah-

nen. Elias Canetti und die europäische Tradition. Akten […]. Bern, Berlin […] 1997, bes. S. 85 ff. und 99 ff.

150 So bereits in einer Rezension zur englischen Ausgabe der *Blendung* von 1946; erneut so H. G. Adler in einer Rundfunkbesprechung zum Erscheinen der *Blendung* 1963. Vgl. die Canetti-Materialien im Nachlass Adler des Literaturarchivs Marbach.

151 Jean Hoepffner, ein wohlhabender Straßburger Zeitungsmann, übernahm die Entstehungskosten für die *Blendung*. Canetti, Augenspiel, S. 195 ff.

152 Spätestens Mitte Oktober 1935 erschien der Roman; das geht aus einer Widmung Canettis hervor in einem Exemplar im Literaturarchiv in Marbach. Vgl. zum Erscheinungstermin auch Canetti, Augenspiel, S. 290.

153 Canetti, Augenspiel, S. 289 ff.

154 Canetti, Blendung, S. 493.

155 Vgl. Helmut Göbel: Eine lange und schwierige Freundschaft. H. G. Adler und Elias Canetti. In: TEXT + KRITIK, 163, H. G. Adler, 2004, S. 28 ff. – Ähnlich hatte sich bereits Hermann Broch geäußert.

156 Canetti, Blendung, S. 493.

157 Ebenda.

158 Canetti, Dramen, S. 8, Personenverzeichnis. Die Namen sind teilweise erfunden und teilweise von Personen übernommen, die Canetti in den autobiographischen Erzählungen erwähnt.

159 Canetti, Dramen, S. 73.

160 Ebenda.

161 Canetti, Der Gegen-Satz zur *Hochzeit*. In: Wortmasken, S. 123.

162 Zitiert nach: Elias Canetti: Welt im Kopf. […] Graz, Wien 1962 (= Stiasny-Bücherei, Band 102), S. 12 f.

163 Marek Przybecki hat sehr klar gezeigt, dass die in Canettis *Masse und Macht* vorhandene Anthropologie erst die dramatische Begrifflich-

keit Canettis einsichtig werden
lässt. In: Stefan H. Kaszynski (Hg.):
Elias Canettis Anthropologie und
Poetik. München 1984, S. 117–133.
Zur Beziehung zur Stimme vgl.
Reinhart Meyer-Kalkus.
164 Canetti, Dramen, S. 11.
165 Canetti, Gewissen, S. 42 (im
ersten Kraus-Essay).
166 Ebenda (in der Rede vom *Beruf
des Dichters*).
167 Michael Mandelartz: Canetti,
Elias. In: Schoeps wie Anm. 27,
S. 89.
168 Ebenda (in der Büchnerpreisrede) sowie Canetti, Augenspiel,
S. 22.
169 Ebenda.
170 Canetti, Dramen, S. 194.
171 Canetti, Masse und Macht,
S. 80 ff.
172 Vgl. Helmut Göbel, Haus, Straße
und Platz, in: TEXT + KRITIK 28,
1982, S. 48 ff.
173 Als Manuskript gedruckt bei
Fischer in Berlin 1932. Ein Exemplar befindet sich in der Bibliothek
Canettis im Nachlass.
174 Canetti, Augenspiel, S. 31, 34,
61, 63, 106.
175 Ebenda, S. 106.
176 Ebenda, S. 159.
177 Ebenda, S. 28.
178 Vgl. Marbacher Magazin
94 / 2001, Hermann Broch [...] Bearb.
v. Paul Michael Lützeler, S. 44. –
Auch die meisten obigen Infor-
mationen zu Broch dort.
179 Canetti, Augenspiel, S. 138 f.
180 Ebenda, S. 47. Canetti ist später
ganz überrascht, dass sich Broch
ebenfalls intensiv mit der Masse
beschäftigt. Dies geht jedenfalls aus
einem Brief Canettis hervor. Canetti, Brief an Rainer Uhlendorf vom
7. Januar 1979, in: R. U.: Verglei-
chende Aspekte zum Verhältnis
von Machthaber und Masse in
Canettis «Masse und Macht» und
im massenpsychologischen Geschehen in H. Brochs Roman «Die

Verzauberung» (Erstfassung). Göttingen 1979 (= Masch.schriftliche
Examensarbeit), Anhang, S. 1 f.
181 In: Wortmasken, S. 143 f.
182 Canetti, Gewissen, S. 9.
183 Ebenda, S. 10, 12.
184 Vgl. oben.
185 Canetti, Gewissen, S. 16.
186 Ebenda.
187 Ebenda, S. 18.
188 Ebenda, S. 22.
189 Alle voranstehenden Angaben
nach: Avraham Ben Yitzak: Es ent-
fernen sich die Dinge: Gedichte
und Fragmente. Hg. u. aus dem
Hebräischen übersetzt v. Efrat Gal-
Ed u. Christoph Meckel. München
1994.
190 Canetti, Augenspiel, S. 161 f.
191 Ebenda.
192 Martin Bollacher, Spinoza-Rem-
niszenz, S. 103–118.
193 Vgl. oben, S. 42 f.
194 Canetti, Fackel, S. 130.
195 Ebenda.
196 Zitiert nach Elias Canetti: Wie
es da ist. In: Fritz Wotruba. Figur a[...]
Widerstand. Salzburg [...] 1977,
S. 95.
197 Ebenda, S. 103.
198 Canetti, Augenspiel, S. 107.
199 Ebenda, S. 99 ff.
200 Canetti, Provinz, S. 155 f.
201 Ebenda, S. 209.
202 Eine Dokumentation dieser
Mappe in: Alfred Hrdlicka: Acht Ra[...]
dierungen zu Elias Canetti: Masse
und Macht. Einführung Karl Die-
mer. Stuttgart (Galerie Valentin)
o. J.
203 N zum Augenspiel, Blatt 8 vom
19. 10. 1980.
204 Canetti hat Scherchen zusammen mit Broch am 18. März 1933
kennen gelernt. Vgl. Hermann
Scherchen: ... alles hörbar mache[...]
Briefe eines Dirigenten 1920–193[...]
Berlin 1976, S. 202.
205 Von diesem Drama hat Canetti
dem Verf. gegenüber gesprochen. [...]
wolle es aber nicht herausgeben,

weil es angesichts der interessanten Forschungen, die zu Lenz und seinem Werk inzwischen geschrieben worden seien, abfallen würde. Im Nachlass hat sich bisher kein entsprechendes, vollendetes oder fragmentarisches, Stück gefunden.

96 N zum Augenspiel, Blatt 14 ff. vom 17. 12. 1983.

97 Zu Adler ausführlicher unten, S. 107 f.

98 Wie Anm. 24, S. 69 f.

99 So sind zum Beispiel in den Entwurfsmaterialien zum *Augenspiel* Reflexionen auf die Familie für den Augenblick vorhanden, in dem man sich zur Beerdigung der Mutter in Paris trifft.

0 Wann genau sie aus Wien fliehen, ist unklar. Canetti selbst behauptete, in Wien die Pogrome vom 9. November 1939 erlebt zu haben und erst dann geflohen zu sein; andere Indizien sprechen für eine etwas frühere Flucht nach Paris. Vgl. A. Schedel, S. 160.

1 Canetti, Mitteilung an den Verf.

2 Die voranstehenden Daten nach Schedel, S. 158 ff.

3 Pross, In London, S. 11.

4 Ebenda, S. 140.

5 Schedel, S. 163.

6 Das haben einhellig sämtliche von mir gelesenen Rezensionen so gesehen. Das Buch erschien unter dem Pseudonym «Anna Sebastian». Das Monster. Roman. Aus dem Englischen von Christel Wiemken. Mit einem Nachwort von Susanne Ovida [der jüngeren Schwester von Friedl Benedikt]. Hg. v. Thomas B. Schumann. Köln, Wien 2004.

7 Canetti, Party, S. 173–189.

8 Ebenda, S. 182.

9 Vgl. Peter Conradi: Iris Murdoch. A Life. London 2001, S. 350.

0 Ebenda, S. 173.

1 Willi Winkler: Die frivole Legende von der heiligen Iris. In: Süddeutsche Zeitung, 31. 10. / 1. / 2. 11. 2003, Wochenend-Beilage, S. III.

222 Adler, in: Canetti, Party, S. 227.

223 Wie Anm. 219, S. 357.

224 Unter Canettis Büchern im Nachlass steht mindestens ein Roman in zwei Exemplaren, eines für Elias, eines für Veza Canetti.

225 Ernst Fischer, Gedanken und Reflexionen, S. 272.

226 Wie Anm. 219.

227 In Canettis Bibliothek befindet sich übrigens das bereits 1963 erschienene Buch über den Luftkrieg aus der Reihe dtv-Dokumente.

228 Robert Neumann, Leichtes Leben, S. 92.

229 Schedel, S. 167.

230 Veza Canetti, Der Fund, S. 197 ff. («Toogoods oder das Licht»). Auch die beiden voranstehenden Erzählungen handeln vom Luftkrieg.

231 Schedel, S. 169.

232 Herbert G. Göpfert: Zur ausländischen Rezeption von Canettis Blendung. In: Hüter der Verwandlung, S. 280 ff.

233 Canetti, Mitteilungen an den Verf. Man vgl. diesen auch in England gehaltenen und aufbewahrten Vortrag, in: Elias Canetti: Werke. Aufsätze, Reden, Gespräche, S. 9–48.

234 Canetti, Provinz, S. 73. Vgl. auch Canetti, Gespräch mit Manfred Durzak. In: Die Welt. Welt des Buches vom 5. 9. 1974, sowie: Manfred Durzak: Elias Canettis Weg ins Exil.

235 Canetti, Gewissen, S. 50 ff.

236 Albrecht Schöne: Aufklärung aus dem Geist der Experimentalphysik. Lichtenbergsche Konjunktive. München 1982. – Zu Canettis Aufzeichnungen auch: Harald Fricke: Aphorismus. Stuttgart 1984 (= Sammlung Metzler, Band 208), S. 132–139.

237 Neumann, in: Hüter der Verwandlung, S. 182 f.

238 Canetti, Fackel, S. 167 ff. – Der Bezug zu Nietzsche von Edgar Piel:

Elias Canetti, S. 20 f. Dort aber wird Zarathustra auf Canettis *Blendung* hin gedacht.

239 Wie Anm. 180.

240 Die folgende Darstellung geht in den meisten Einzelheiten zurück auf Marion Herman Röttgen: Nachwort. In: Franz Baermann Steiner: Fluchtvergnüglichkeit. Feststellungen und Versuche […]. Stuttgart 1988, S. 129 f.

241 Canetti, Aufzeichnungen 1992–1993, S. 17 ff.

242 Jeremy Adler: Die Freundschaft zwischen Elias Canetti und Franz Baermann Steiner. In: Akzente, Juni 1995, S. 229 f.

243 Canetti, Augenspiel, S. 341 ff.

244 Canetti an Adler, zitiert nach: Helmut Göbel: H. G. Adler und Elias Canetti. Eine schwierige Freundschaft. In: TEXT + KRITIK 163, H. G. Adler, 2004, S. 76.

245 Ebenda, S. 80 ff.

246 Im Folgenden wird aus der Paperback-Ausgabe zitiert, die als Rest der Erstauflage von 1960 1967 erschien.

247 Canetti, Masse und Macht, S. 9.

248 Ebenda, S. 49 ff.

249 Ebenda, S. 259.

250 Ebenda, S. 80 f.

251 Ebenda, S. 82 ff.

252 Ebenda, S. 143 ff.

253 Ebenda, S. 207 ff.

254 Ebenda, S. 325–343.

255 Ebenda, S. 385 ff.

256 Gelegentlich wird behauptet, Canettis Sicht sei hier eher eine ethnologische. Vgl. Mario Erdheim: Canetti und Freud, S. 240 ff.

257 Das Gespräch zwischen Canetti und Adorno wurde zuerst abgedruckt in: Canetti, Die gespaltene Zukunft, S. 66 ff.

258 Canetti, *Macht und Überleben. Drei Essays.* Berlin 1972.

259 Canetti, in: Gewissen, S. 163 ff.

260 Michael Krüger (Hg.): Einladung zur Verwandlung, 1995, enthält eine schöne Sammlung solcher Essays zu Canettis 90. Geburtstag.

261 Schedel, S. 169, 186 ff.

262 In: Veza Canetti: Der Fund, S. 205 ff.

263 Ein Exemplar etwa erhält Ingeborg Bachmann bei ihrem Besuch in London, um in Wien herauszubekommen, ob man das Stück dort nicht spielen könne. Die Canettis haben von ihr nie wieder etwas gehört. (Mitteilung Canettis an den Verf.)

264 Man vgl. ihren abgedruckten Brief in TEXT + KRITIK, Veza Canetti, 2002, S. 28.

265 Aus den N zur Fackel, Blatt 6 zum 23. 2. 1979.

266 Canetti, Nachträge, S. 34.

267 Canetti, Provinz, S. 264 ff.

268 Herbert G. Göpfert, Zeugnisse, in: Hüter der Verwandlung, S. 282 f.

269 Canetti, Brief an Göpfert. Gedruckt in hundert Exemplaren i. A. der Historischen Kommission des Börsenvereins des Deutschen Buchhandels und der Horst Kliemann Stiftung […] am 22. September 1977.

270 Canetti, Marrakesch, S. 80.

271 Ebenda, S. 44 f.

272 Zuletzt in die Romanbibliothek des 20. Jahrhunderts der Süddeutschen Zeitung im Jahr 2004.

273 Die Büchnerpreisrede in: Canetti, Das Gewissen der Worte, S. 211 f.

274 Canetti, Beruf des Dichters.

275 Canetti, Mitteilung an den Verf.

276 Canetti, Provinz, S. 92.

277 Es ist merkwürdig, dass in Frieds Erinnerungen die Canettis nicht vorkommen.

278 So Fried in einem Interview, das in einen Film über Elias Canetti eingebaut ist, der im Zweiten Deutschen Fernsehen zum 80. Geburtstag Canettis ausgestrahlt wurde.

279 Canetti, Aufzeichnungen 1992–1993, S. 46.

280 Hilde Spiel: Welche Welt ist

meine Welt? Erinnerungen
1946–1989. München 1990, S. 172.
281 Canetti, Mitteilungen an den
Verf.
282 Veza Canetti an Viktor Suchy,
in: TEXT + KRITIK. Der Brief befindet sich im Nachlass Suchys im
Literaturhaus Wien.
283 Ernst Schönwiese (Hg.): Das
Silberboot. Zeitschrift für Literatur.
Es ist der 1962 erschienene Band
102.
284 Canetti, Mitteilung an den Verf.
285 Wolfgang Kraus war der Initia-
tor einiger solcher Pläne. Ein Ak-
tenvermerk in den Canetti-Materialien des Österreichischen Nationa-
len Literaturarchivs zeigt, dass man
bis zum Minister für Wissenschaft
und Forschung sich anstrengte,
Canetti und sein Werk nach Wien
zu holen.
286 Herbert Zand, S. 208.
287 Herbert Zand und Canetti, un-
veröffentlichter Briefwechsel im
Österreichischen Literaturarchiv;
Wien.
288 Paul Nizon: Das Drehbuch der
Liebe. Journal 1973–1979. Frankfurt a. M. 2004, S. 200.
289 Nach dem Abdruck in der
«Zeit» erschien die Rede Canettis
als Separatdruck des Hanser Verlags. Sie wurde dann in eine Neu-
auflage von Gewissen der Worte
aufgenommen. Das Zitat: Canetti,
Gewissen 2, S. 290.
290 Canetti, Provinz, S. 264f.
291 Vgl. Süddeutsche Zeitung
vom 17. 8. 1982, S. 12.

292 In den Nachlassmaterialien zur
Fackel, Blatt 3f. vom 21. 2. 1979.
293 Canetti, Provinz, S. 348.
294 Brief von Paul Pfister an den
Verf.
295 Die Auskünfte über Hera Buschor habe ich dankenswerterweise
von ihrer Tochter Johanna Canetti
erhalten und, wie in der vorigen
Anmerkung erwähnt, vom Restaurator des Kunsthauses Zürich,
Herrn Paul Pfister.
296 Brief der Canettis an Adlers,
im Nachlass Adler, Literaturarchiv
Marbach.
297 Wie Anm. 288.
298 Canetti an Therese Wagner-Si-
mon vom 23. 11. 1988. Teilabdruck
in: Auktionskatalog 918 des Eras-
mushauses, Basel. Gefunden über
Internet 2004.
299 Canetti, Geheimherz, S. 24.
300 Wie Anm. 68.
301 Gespräch mit Joachim Schickel
in: Canetti, Zukunft, S. 127.
302 Canetti, Ohrenzeuge, S. 97.
303 Canetti, Augenspiel, S. 94–96.
304 Canetti: Der Ohrenzeuge. Plattenhülle, Rückseite. Polydor International. Deutsche Grammophon
(Reihe Literatur) 1975.
305 Claudio Magris: Der Schriftsteller, der sich versteckt. In: Stefan
H. Kaszynski (Hg.): Elias Canettis
Anthropologie und Poetik, S. 21 ff.
306 Canetti, Wortmasken, S. 143f.
307 Canetti, Aufzeichnungen
1992–1993, S. 60.

1905 Elias Jacques Canetti wird als ältester Sohn von Jacques Canetti und Mathilde, geb. Arditti, in Rustschuk (heute Russe) in Bulgarien geboren.

1909 Geburt des Bruders Nissim, der sich später Jacques nennt.

1911 Geburt des Bruders Georg bzw. Georges.

1911 Übersiedlung der Familie nach Manchester, England. Besuch der Grammar School.

1912 8. Oktober: Plötzlicher Tod des Vaters.

1913 Übersiedlung der Familie nach Wien mit Zwischenaufenthalt in der Schweiz. Besuch der Volksschule in Wien.

1914 Beginn des Ersten Weltkriegs.

1915 Ferienreise nach Bulgarien.

1916 Übersiedlung mit der Familie nach Zürich. Besuch des kantonalen Realgymnasiums.

1919 Canetti mietet sich in der Pension «Villa Yalta» in Zürich ein.

1921 Übersiedlung mit der Familie nach Frankfurt a. M. Besuch des Wöhler Gymnasiums.

1922 Canetti erlebt seine erste Massendemonstration anlässlich der Ermordung von Walther Rathenau.

1924 Übersiedlung der Familie, zuerst ohne Elias, nach Wien. Abitur in Frankfurt. Beginn des Chemiestudiums an der philosophischen Fakultät der Universität Wien. Letzte Reise nach Bulgarien.

1924 17. April: Canetti lernt Venetiana, gen. Veza, Taubner-Calderon, geb. 1897, seine spätere erste Frau, kennen. Er hört die erste Vorlesung von Karl Kraus.

1925 Beginn der Beschäftigung mit Fragen zur Masse und zur Macht.

1926 Mutter und Brüder ziehen nach Paris; Elias Canetti bleibt in Wien; ab Mai 1927 am Stadtrand in Hacking, Hagenberggasse 47. Vermutlich 1926 Bergferien mit Veza.

1927 15. Juli: Demonstration in Wien und Brand des Justizpalastes. September: Plakataktion von Karl Kraus. Besuch der Familie in Paris; Rückreise über Colmar; Besichtigung des Isenheimer Altars.

1928 In den Sommersemesterferien erster Aufenthalt in Berlin. Beginn an den Übersetzungen Upton Sinclairs.

1929 Abschluss des Chemiestudiums mit Dissertation und Promotion. Zweiter, kürzerer Aufenthalt in Berlin. Entwicklung des Romanprojekts «Comédie Humaine an Irren».

1930 Die ersten Buchübersetzungen Canettis zu Upton Sinclair erscheinen im Malik Verlag, «Leidweg der Liebe» und «Das Feld schreibt». Arbeit am eigenen Roman «Kant fängt Feuer», der später «Die Blendung» heißen wird.

1931 Abschluss der ersten Fassung von «Kant fängt Feuer» (*Die Blendung*). Beginn der Arbeit am Drama *Hochzeit*.

1932 Die Übersetzung von Sinclairs Roman «Alkohol» erscheint. Abschluss des Dramas *Hochzeit*; erscheint als Manuskriptdruck für die Theater im Berliner S. Fischer Verlag. Beginn der Arbeit an der *Komödie der Eitelkeit*. Erste private und öffentliche Lesungen in Wien. Bekanntschaft mit Hermann Broch und Hermann Scherchen.

1933 Hitler wird Reichskanzler; Machtübernahme der Nationalsozialisten im Deutschen Reich.

Besuch von Scherchens Akademie für moderne Musik in Straßburg. Beginn der Liebe zu Anna Mahler. Bekanntschaft mit Fritz Wotruba, Abraham Sonne und Robert Musil.

1934   19. Februar: Heirat und gemeinsame Wohnung mit Veza in Grinzing bei Wien. Februar: Etablierung des Austrofaschismus unter Dollfuß. Abschluss des Dramas *Komödie der Eitelkeit*.

1935   *Die Blendung* erscheint im Herbert Reichner Verlag (1936 laut Buch). Frankreichreise, auch zur Familie nach Paris.

1936   Bekanntschaft mit Friedl Benedikt, die später in London eine seiner Geliebten wird. Interview mit der Vorstellung der *Akustischen Maske*. Rede zum 50. Geburtstag von Hermann Broch.

1937   *Die Blendung* erscheint in tschechischer Übersetzung. Einladung zu einer Lesung nach Prag. Lernt dort H. G. Adler und später Franz Baermann Steiner kennen. Bricht den Aufenthalt ab: Tod und Beerdigung der Mutter in Paris. Reise mit dem Bruder Georges an die Loire.

1938   13. März: «Anschluss» Österreichs an das Deutsche Reich. Oktober (?): Mit seiner Frau Veza Emigration nach Paris.

1939   Januar: Emigration nach London.

1940   Neubeginn der Arbeiten zu Fragen der Masse und der Macht. Verschiedenste Wohnungen allein und mit der Ehefrau in London und in Amersham, Buckinghamshire.

1942   Beginn mit *Aufzeichnungen* als Befreiungsarbeit von *Masse und Macht*.

1946   *Die Blendung* erscheint als *Auto da Fé* in englischer Übersetzung von Cicely Veronica Wedgwood bei Jonathan Cape, London.

1947   *Die Blendung* als *The Tower of Babel* bei Alfred A. Knopf in New York.

1948   *Die Blendung* in der zweiten deutschsprachigen Ausgabe im Willi Weismann Verlag, München.

1949   *Die Blendung* als *La Tour de Babel* in französischer Übersetzung von Paule Arthex bei B. Arthaud in Grenoble und Paris. Die französische Übersetzung wird mit dem «Prix International» als das beste ausländische Buch in Frankreich ausgezeichnet. Canetti reist aus diesem Anlass nach Frankreich und hält einen Vortrag zur Erzählkunst der Moderne bei Proust, Kafka u. a.

1950   Die *Komödie der Eitelkeit* wird von Weismann gedruckt, wegen Verlagsschließung nicht mehr ausgeliefert.

1952   Entstehung des Dramas *Die Befristeten*. Canetti in Frankreich.

1953   Canetti in Paris: Tod Friedl Benedikt.

1954   Reise nach Marokko. Niederschrift von *Die Stimmen von Marrakesch*.

1955   Die Monographie *Fritz Wotruba* erscheint gleichzeitig in deutscher und englischer Sprache bei Rosenbaum in Wien. Erster Nachkriegsaufenthalt in Österreich.

1956   *Die Befristeten* werden als *The Numbered* im Playhouse Oxford uraufgeführt. Reise nach Südfrankreich (Provence).

1959   Reise mit Veza nach Italien (Venedig) und nach Österreich (bis Innsbruck). Liest einige Abschnitte aus *Masse und Macht* im Norddeutschen Rundfunk.

1960   *Masse und Macht* erscheint bei Claassen in Hamburg.

1961   Lernt Hera Buschor (1933–1988), die spätere zweite Ehefrau, kennen. Reise nach Griechenland. Reise mit Veza nach Zürich.

1962 Gespräch mit Theodor W. Adorno über *Masse und Macht* im Norddeutschen Rundfunk. Reise mit Veza nach Paris. In Wien erscheint die Anthologie *Welt im Kopf.* Darin die ersten Veröffentlichungen aus den *Aufzeichnungen.*

1963 Erste Nachkriegseinladung zu einer Lesung nach Wien. 1. Mai: Veza Canetti stirbt in London. Im Münchner Hanser Verlag erscheint die dritte deutschsprachige Ausgabe der *Blendung*, Begegnung mit Herbert G. Göpfert. Von nun an erscheinen fast alle Werke im Hanser Verlag. Öffentliche Lesung in Berlin.

1964 Die Dramen *Hochzeit, Komödie der Eitelkeit* und *Die Befristeten* erscheinen erstmals in einem Band.

1965 Uraufführung der *Komödie der Eitelkeit* (6. Februar) und der *Hochzeit* (3. November) am Staatstheater Braunschweig. Das erste Buch mit einer Auswahl aus den täglichen Notizen erscheint als *Aufzeichnungen 1942–1948.*

1966 «Literaturpreis der Stadt Wien» und «Deutscher Kritikerpreis».

1968 Als Nummer 1 der neugegründeten «Reihe Hanser» erscheint *Die Stimmen von Marrakesch.* «Großer Österreichischer Staatspreis» mit der Rede *Unsichtbarer Kristall* in Wien.

1969 «Literaturpreis der Bayerischen Akademie der Schönen Künste». Mit *Der andere Prozeß. Kafkas Briefe an Felice* beginnen wichtige Essays zu erscheinen.

1970 Korrespondierendes Mitglied der Bayerischen Akademie der Schönen Künste. Mitglied der Akademie der Künste in Berlin. Korrespondierendes Mitglied der Deutschen Akademie für Sprache und Dichtung in Darmstadt.

1971 Beginn mit der Arbeit an der autobiographischen Erzählungen. Heirat mit Hera Buschor in London. Der Bruder Georges stirbt in Paris. Ehrenmitgliedschaft der Wiener Akademie der bildenden Künste.

1972 Tochter Johanna wird geboren. Georg-Büchner-Preis.

1974 Veröffentlichung von *Der Ohrenzeuge. Fünfzig Charaktere.*

1975 Nelly-Sachs-Preis in Dortmund. Franz-Nabl-Preis in Graz. Die erste Ausgabe der Essays gesammelt als *Das Gewissen der Worte* erscheint.

1976 Ehrenpromotion an der Münchner Maximilians-Universität mit der programmatischen Rede *Der Beruf des Dichters.* Ehrenpromotion an der Universität von Manchester.

1977 Der erste Band der autobiographischen Erzählungen *Die gerettete Zunge. Geschichte einer Jugend* erscheint. Gottfried-Keller-Preis. Mitglied im PEN Deutschland.

1978 Die *Komödie der Eitelkeit* wird unter der Regie von Hans Hollmann in Basel mit sehr großem Erfolg aufgeführt.

1979 Aufnahme in den Orden Pour le Mérite, Friedensklasse.

1980 *Die Fackel im Ohr. Lebensgeschichte 1921–1931*, der zweite Teil der autobiographischen Erzählungen, erscheint. Johann Peter Hebel-Preis.

1981 Franz-Kafka-Preis. Nobelpreis für Literatur.

1983 Großes Verdienstkreuz der Bundesrepublik Deutschland.

1985 *Augenspiel. Lebensgeschichte 1931–1937*, der dritte Teil der autobiographischen Erzählungen, erscheint. Ehrenbürgerschaft der Stadt Wien.

1988 29. April: Tod von Hera Canetti. Endgültiger Umzug von London nach Zürich.

1990   Mit «Die Gelbe Straße» Beginn der Buchveröffentlichungen Veza Canettis.

1992   Uraufführung von «Der Oger» von Veza Canetti in Zürich.

1994   14. August: Elias Canetti stirbt in der Nacht in Zürich. Begräbnis in einem Ehrengrab der Stadt Zürich (neben James Joyce).

Thomas Mann

[...] ich bin aufrichtig angetan und freudig beeindruckt von seiner krausen Fülle [des Romans *Die Blendung*], dem Debordierenden seiner Phantasie, der gewissen erbitterten Großartigkeit seines Wurfes, seiner dichterischen Unerschrockenheit, seiner Traurigkeit und seinem Übermut. Es ist ein Buch, das sich, anders als die muffige Mediokrität, die heute in Deutschland gepflegt wird, sehen lassen kann neben den Talententwürfen anderer literarischer Kulturen.
Brief an Elias Canetti vom 14. November 1935. In: Herbert G. Göpfert (Hg.): Canetti lesen. Erfahrungen mit seinen Büchern. München 1975

Robert Neumann

Er ist ein eher kleingewachsener, nun schon etwas dicklicher Mann mit springlebendigen Augen hinter der scharfen Brille. Er hat die mitreißende Intensität und den undurchdringlichen Selbstbewußtseinspanzer des paranoiden Typs. Auch die Geheimniskrämerei dieses Typs ist für ihn charakteristisch; was er schreibt, was er tut, mit welchen berauschend schönen Frauen, genialen Männern, führenden Persönlichkeiten des Staates er umgeht, das sagt er nicht.
Ein leichtes Leben, Bericht über mich selbst und Zeitgenossen. Berlin, Weimar 1975

Hilde Spiel

Die Eitelkeit dieses bedeutenden Schriftstellers – hier kann ich einen Lebenden so wenig schonen, wie er selbst es in seinen Erinnerungen tut – ist bekannt. Als ich 1952 in einer Londoner Buchausstellung der Anglo-Austrian Society einen Vortrag über die österreichische Literatur der Gegenwart hielt, hatte sich Canetti, von mir wohl bemerkt, unter die Zuhörer gemischt und gewartet, ob sein Name fallen würde. Nachdem dies geschehen war, entfernte er sich sofort, während ich weitersprach. Jetzt ist er, vermutlich im ersten Jahr unserer Niederlassung im Haus am Bach, nach dem Abendessen zu Besuch gekommen und erregt bei den anderen Gästen – Alexander Lernet-Holenia, Franz Theodor Csokor und Leo Perutz – zunehmend Ärgernis, indem er erklärt, wer für Geld schreibe, bringe nichts Ordentliches zustande.
Welche Welt ist meine Welt? Erinnerungen 1946–1989. München 1990

Paul Nizon

Sein Fixieren, der Nachdruck auf das Gegenüber. Damit man wirklich merkt, wie ernst er es meint. Dann wieder sein Nachsinnen mit schräg gestelltem Kopf und wägend runterwärts gerichteten Augen, dann wieder das Lachen, das ihn den Kopf verwerfen läßt. Und dies alles auf seinem gewaltigen Oberleib. Darüber das Strindberg-Gesicht. Seine Mutter liebte Strindberg über alles. Vielleicht ist er, der es seiner Mutter als Kind immer recht machen wollte (er wollte einfach vor ihr bestehen), ihr zuliebe in diese Gesichtsverwandtschaft gewachsen.
Man fühlt sich wunderbar gehalten und gesteigert in seiner Gegenwart und im Guten bestätigt. Schwer zu sagen, die Erscheinung und Wirkung Canettis.
Die Erstausgaben der Gefühle. Journal 1961–1972. Hg. von Wend Kässens. Frankfurt a. M. 2002

Ernst Fischer

Ich habe Elias Canetti zunächst für einen attraktiven *diable boiteux* gehalten, für einen der Charaktere, die Goethe als «dämonisch» qualifiziert, mit einem «bösen Blick» für alles B

, der Lust am nicht Geheuren, Ver-
achsenen, Verkrüppelten, Verrück-
en, am Wurzelziehen und Wehtun.
och hinter dem Bösen, das aufzu-
püren Canetti unentwegt bemüht
ar, öffnete sich ein tieferer Abgrund
ls die Hölle: der Tod. Hinter der Mas-
e des Bösen ist der Tod versteckt.
inter der Macht steht der Tod. Das
rincipium individuationis ist das To-
esprinzip. Der extreme Individua-
st, der Canetti war, haßte das Indivi-
uum als das dem Tod Verfallene,
urch seine Geburt den Tod in die
elt Bringende.
*rinnerungen und Reflexionen. Frank-
rt a. M. 1969, 1994*

eter von Matt
r hielt auf Rang in jeder Beziehung.
uch was seine Gegner betraf. Zu
en prominentesten zählten Nietz-
he, Freud und der Tod. Auch Napo-
on nahm er persönlich. Er trank
nen Cognac, der dessen Namen
ägt, um mit jedem Schluck den
erabscheuten ein Stück weit zu
rnichten. Es war ihm ernst damit,
nd er wußte zugleich sehr wohl um
as Komödiantische dieses Rituals.
lles Denken war für ihn ein mimi-
hes Ereignis, den Regentänzen der
ustralischen Aborigines ebenso
rwandt wie dem Treiben Nestroys
uf der Wiener Vorstadtbühne
der dem schreienden, flüsternden,
hluchzenden, singenden Karl
raus.
*r weise Komödiant. Zum Tod
n Elias Canetti. In: «Die Zeit» Nr. 35,
5. August 1994*

lbrecht Schöne
945, wenn ihm mit den rasenden
erstörungen und furchtbaren Men-
henopfern in unseren Konzentra-
onslagern, mit den Atombomben-
plosionen über Japan die letzten
age der Menschheit vor Augen ste-
en, schreibt er: *Menschen durch Wor-*
am Leben erhalten, ist das nicht beina-

he schon so, wie sie durch Worte erschaffen? Mit solch am Leben erhaltender,
wiedererschaffender Überlieferung
ihrer Namen, ihrer Stimmen, ihrer
Rufe rührt Canettis vergegenwärti-
gendes Aufschreiben von Worten
wohl an die Wurzel seiner Herkunft;
an das auf die Schrift gegründete,
nicht endende Erinnern, welches
das Judentum bestimmt.
*Nachruf des Ordens Pour le Mérite auf
Elias Canetti, 1994*

Fritz Arnold
Mit wohlwollender Aufmerksamkeit
und listiger Neugier saß er mir
gegenüber und gab mir Sicherheit
und Vertrauen. Ich hatte zwar immer
das Gefühl, daß es kaum etwas gäbe,
was er nicht schon wußte, daß er
aber wissen wollte, ob ich es auch
weiß – und natürlich, was ich davon
halte. Diese Atmosphäre des Einver-
ständnisses, ja der Komplizenschaft
machte mich zuweilen kühn, ich
ertappte mich dabei, daß ich Gedanken äußerte, die ich noch nie zu formulieren gewagt hatte, ja von denen
ich nicht einmal wußte, daß sie in
mir waren. Ich unterhielt mich
mit Canetti sozusagen über meinem
Niveau.
*Die fremde Zunge gerettet. Erinnerungen
an Elias Canetti. In: «Frankfurter Rund-
schau» Nr. 299, 23. Dezember 1995*

Marcel Reich-Ranicki
Ich besuchte ihn in seiner nicht gerade geräumigen Wohnung im Londoner Stadtteil Hampstead. Canetti
hatte mich sofort beeindruckt. Er
war so leutselig wie liebenswürdig
und durchaus gesprächig. Was mir
vor allem auffiel, war sein Charisma.
[…] Canetti war ein Mann der Kon-
versation. Kaum hatte er zu sprechen
begonnen und plaudernd zu dozie-
ren – und schon wirkte und bezau-
berte seine Persönlichkeit: Der kleine, wohlbeleibte und dennoch nicht
schwerfällige Herr erwies und be-

währte sich als anmutiger, als vorzüglicher Causeur. Seine Souveränität war authentisch, doch der Hauch eines dezenten Komödiantentums ließ sich nicht verkennen. Dazu mag beigetragen haben, daß sein Deutsch vom schönsten österreichischen Tonfall geprägt war. Um es etwas zu überspitzen: Unabhängig von dem, was Canetti sagte, war es ein Vergnügen, ihm zuzuhören.
Mein Leben. Stuttgart 1999

Susanne Ovadia
Der Schriftsteller und spätere Nobelpreisträger wohnte schräg gegenüber von uns auf der Himmelstraße und hatte äußerlich wenig Anziehendes für eine umschwärmte junge Frau. Er war klein und dicklich und überhaupt nicht elegant. Aber er besaß einen wirklich schönen Denkerkopf, voll von dunklen Haaren, und sehr ausdrucksvolle, helle Augen – sonst war das Meiste rund an ihm: sein Gesicht, seine Nase, sein Bauch. Aber er strahlte Intelligenz, Wissen, Witz aus und konnte faszinierend erzählen.
Im Nachwort zu Anna Sebastian (d. i. Friedl Benedikt): Das Monster. Hg. von Thomas B. Schumann. Köln, Wien 2004

Michael Krüger
Alle waren von diesem Tod überrascht. Johanna war am Samstagabend nicht zu Hause gewesen, kam erst um 10.30 Uhr zurück, wo sie den Vater bei der Arbeit fand. Sie haben noch bis um halb eins gesprochen, der Vater war glücklich, weil er mit der Arbeit so gut vorankam, dann sind beide ins Bett gegangen, und als Johanna ihn am Sonntagmorgen beim Frühstück vermißte, fand sie ihn tot in seinem Bett, ohne jedes Anzeichen einer Aufbäumung gegen den Tod.
1994. In: Kristian Wachinger (Hg.): Elias Canetti. Bilder aus seinem Leben. München 2005

BIBLIOGRAPHIE

Werkausgaben

Werke in zehn Bänden. München,
Wien 1992–2005
Bd. I: *Die Blendung. Roman.* O. J.
[1992]
Bd. II: *Hochzeit. Komödie der Eitelkeit.
Die Befristeten. Dramen. Der Ohren-
zeuge, Fünfzig Charaktere.* 1995
Bd. III: *Masse und Macht.* O. J. [1994]
Bd. IV: *Aufzeichnungen 1942–1985.
Die Provinz des Menschen. Das Ge-
heimherz der Uhr.* 1993
Bd. V: *Aufzeichnungen 1954–1993.
Die Fliegenpein. Nachträge aus Hamp-
stead.* Postum veröffentlichte Auf-
zeichnungen. 2004
Bd. VI: *Die Stimmen von Marrakesch.
Aufzeichnungen nach einer Reise. Das
Gewissen der Worte. Essays.* 1995
Bd. VII: *Die Gerettete Zunge. Geschichte
einer Jugend.* 1994
Bd. VIII: *Die Fackel im Ohr. Lebens-
geschichte 1921–1931.* 1993
Bd. IX: *Das Augenspiel. Lebensgeschich-
te 1931–1937.* 1994
Bd. X: *Aufsätze, Reden, Gespräche.*
2005. [U. a. nicht ganz vollständige
Sammlung kleiner Texte Canettis,
die ursprünglich an den verschie-
densten Orten gedruckt worden
sind.]
Werke. Dreizehn Bände und ein
Begleitband. Frankfurt a. M. 1995
Bd. 1: *Das Augenspiel*
Bd. 2: *Die Blendung*
Bd. 3: *Dramen*
Bd. 4: *Die Fackel im Ohr*
Bd. 5: *Die Fliegenpein*
Bd. 6: *Das Geheimherz der Uhr*
Bd. 7: *Die gerettete Zunge*
Bd. 8: *Das Gewissen der Worte*
Bd. 9: *Masse und Macht*
Bd. 10: *Nachträge aus Hampstead*
Bd. 11: *Der Ohrenzeuge*
Bd. 12: *Die Provinz des Menschen*
Bd. 13: *Die Stimmen von Marrakesch*
Bd. 14: *Wortmasken. Texte zu Leben
und Werk von Elias Canetti.* Redak-
tion Ortrun Huber.

Nachlass

Der überwiegend größte Teil des literarischen Nachlasses Canettis liegt
in der Handschriftenabteilung der
Zentralbibliothek Zürich. Die literarischen Schriften, Entwürfe, Aufzeichnungen, Tagebücher und son-
stige unveröffentlichte Materialien
– insgesamt über 220 gut geordnete
Kartons – sind mit Ausnahme der
Briefe und Tagebücher zugänglich.
Letztere sind bis zum Jahr 2024 ge-
sperrt. Unter den Materialien befin-
den sich auch Kopien, deren Origi-
nale Johanna Canetti besitzt.
In der Zentralbibliothek befindet
sich auch die Canetti'sche Biblio-
thek von ca. 18 500 Bänden.
Die Canettiana im Münchner Hanser
Verlag sind zum größten Teil für die
Öffentlichkeit nicht zugänglich.
Der Marie-Louise von Motesiczky
Charitable Trust in England enthält
ebenfalls einige Canettiana.
Kleinere Teile des Canetti'schen
Nachlasses befinden sich naturgemäß innerhalb anderer Nachlässe.
So etwa sind im Nachlass von H. G.
Adler im Deutschen Literaturarchiv in Marbach a. N. sowohl Briefe
Elias' und Veza Canettis zu finden
als auch Canettis Rede zur Verleihung des Franz Nabl-Preises. Ähn-
liches gilt für den ebenfalls in
Marbach befindlichen Nachlass
des Willi Weismann Verlags.
In der Handschriftenabteilung der
Österreichischen Nationalbibliothek befindet sich ein Teilmanu-
skript zu *Die Stimmen von Marrakesch.*
Das Literaturhaus Wien bewahrt u. a.
ein unveröffentlichtes Gespräch
mit Canetti. Im Nachlass von Viktor Suchy werden zudem Briefe und
weitere Materialien aufbewahrt.

Selbständige Veröffentlichungen:

(Hier werden auch die Erstausgaben angegeben, nach denen in diesem Buch – von wenigen Ausnahmen abgesehen – zitiert wird.)

Über die Darstellung des Tertiärbutylcarbinols. Masch. Diss., Wien 1929.

Hochzeit. Berlin 1932, Fischer [Bühnenmanuskript]

Die Blendung. Roman. Wien, Leipzig, Zürich 1936 [richtig: 1935], Reichner; München 1948, Weismann [mit Textvarianten]; München 1963, Hanser; Frankfurt a. M. 1965 [u. ö.], Fischer; Berlin 1969 [u. ö.], Volk und Welt

Komödie der Eitelkeit. Drama in drei Teilen. München 1950, Weismann.

Fritz Wotruba. Vorwort Klaus Demus. Wien 1955, Rosenbaum

Masse und Macht. Hamburg 1960, 1971 u. ö., Claassen (Rest der Aufl. von 1960 1967 als Paperback); München 1973, Hanser (Reihe Hanser 124 u. 125)

Der Überlebende [Auszug]. Frankfurt a. M. 1975, Suhrkamp; Frankfurt a. M. 1980, Fischer

Die Befristeten. München 1964, Hanser

Dramen. München, Wien 1964, [2. Aufl., 1976] Hanser (*Hochzeit, Komödie der Eitelkeit, Die Befristeten*). München 1971, Deutscher Taschenbuch Verlag (Sonderreihe dtv 102); Frankfurt a. M. 1978, Fischer

Aufzeichnungen 1942–1948. München, Wien 1965, Hanser

Die Stimmen von Marrakesch. Aufzeichnungen nach einer Reise. München, Wien 1968, Hanser (Reihe Hanser 1)

Der andere Prozeß. Kafkas Brief an Felice. München, Wien 1969, Hanser (Reihe Hanser 23)

Alle vergeudete Verehrung. Aufzeichnungen 1949–1960. München, Wien 1970, Hanser (Reihe Hanser 50)

Die gespaltene Zukunft. Aufsätze und Gespräche. München, Wien 1972, Hanser (Reihe Hanser 111)

Macht und Überleben. Drei Essays. Berlin 1972, Literarisches Colloquium (LBC-Edition 29)

Die Provinz des Menschen. Aufzeichnungen 1942–1972, München, Wien 1973, Hanser; *Aufzeichnungen 1942–1972.* Frankfurt a. M. 1978, Suhrkamp

Der Ohrenzeuge. Fünfzig Charaktere. München, Wien 1974, Hanser; Berlin 1976, Volk und Welt; Berlin 1978, Ullstein

Das Gewissen der Worte. Essays. München, Wien 1975, Hanser [ohne *Der Beruf des Dichters*]; München 1976, Hanser [mit *Der Beruf des Dichters*]; Frankfurt a. M. 1981, Fischer

Der Beruf des Dichters. München, Wien 1976, Hanser

Die gerettete Zunge. Geschichte einer Jugend. München, Wien 1977, Hanser

Brief an Herbert G. Göpfert. Zürich im September 1977. Frankfurt a. M. 1977, Börsenverein [Faksimile mit Transkription]

Hebel und Kafka. München, Wien o. J. [1980], Hanser

Die Fackel im Ohr. Lebensgeschichte 1921–1931. München, Wien 1980, Hanser; Frankfurt a. M. 1982, Fischer

Nobelpreis für Literatur 1981. Zürich 1982, Coron [Enth. u. a. *Die Blendung* sowie die Nobelpreis-Dankesrede]

In einem anderen Jahr. Tagebuchnotizen 1968–1974. Nachwort Rudolf Hartung. München, Wien 1982, Hanser

Das Augenspiel. Lebensgeschichte 1931–1937. München, Wien 1985, Hanser; Dass., 1985 [revidiert]; Frankfurt a. M. 1987, Fischer

Das Geheimherz der Uhr. Aufzeichnungen 1973–1985. München, Wien 1987, Hanser

Die Fliegenpein. Aufzeichnungen. München, Wien 1992, Hanser

Nachträge aus Hampstead. Aus den Aufzeichnungen 1954–1971. München, Wien 1994, Hanser

ufzeichnungen 1992–1993. München, Wien 1996, Hanser
ufzeichnungen 1973–1984. München, Wien 1999, Hanser

Elias Canetti: *Fritz Wotruba*. Wien 1955, Brüder Rosenbaum
Elias Canetti: Masses and Power. London 1962

us dem Nachlass

arty im Blitz. Die englischen Jahre. Aus dem Nachlaß herausgegeben von Kristian Wachinger. Mit einem Nachwort von Jeremy Adler. München, Wien 2003, Hanser
ufzeichnungen für Marie-Louise. Aus dem Nachlaß herausgegeben und mit einem Nachwort von Jeremy Adler. Mit der vollständigen Abbildung des handschriftlichen Originals. München, Wien 2005, Hanser

erkauswahl

elt im Kopf. Eingeleitet und ausgewählt von Erich Fried [richtig: Veza Canetti]. Graz, Wien 1962, Stiasny
wiesprache 1931–1976. Mit einer Einleitung von Stefan Orendt. Berlin 1980, Volk und Welt
ber Tiere. Mit einem Essay von Brigitte Kronauer. München, Wien 2002, Hanser
ber den Tod. Mit einem Nachwort von Thomas Macho. München, Wien 2003, Hanser
ber die Dichter. Mit einem Nachwort von Peter von Matt. München, Wien 2004, Hanser

bersetzungen Canettis

us dem Englischen:
pton Sinclair: *Leidweg der Liebe*. Berlin 1930, Malik
as Geld schreibt. Eine Studie über die amerikanische Literatur. Berlin 1930, Malik
lkohol. Roman. Berlin 1932, Malik.
s Englische:

Tondokumente

Elias Canetti liest aus den «Marokkanischen Erinnerungen», aus seinem Roman *Die Blendung*. 1967 (= Sprechplatte Deutsche Grammophon 16 80 86) [Auf der Plattenhülle (sonst unveröffentlicht): Elias Canetti über Elias Canetti]
Canetti liest Canetti *Der Ohrenzeuge*. 1975 (= Sprechplatte Deutsche Grammophon 25 7003) [Auf der Plattenhülle Rückseite (sonst unveröffentlicht) eine Einführung Canettis]
Elias Canetti liest aus seinem Buch *Die gerettete Zunge*. 2 Tonbandkassetten. 1978, ML ex libris. CWO 7052 und CWO 7053
Elias Canetti liest eine gekürzte Version der *Komödie der Eitelkeit*. 1 CD. München 2002
Elias Canetti liest aus dem *Augenspiel*. Hörkassette. München, Wien o. J., Hanser
Elias Canetti liest Auszüge aus *Die Stimmen von Marrakesch*. Als CD-Beilage in: *Die gerettete Zunge. Geschichte einer Jugend*. Frankfurt a. M. 2000, Fischer TB, Hörverlag (= Produktion: Hessischer Rundfunk 1985)
Es sind ferner einige Gespräche Elias Canettis (z. B. mit Theodor W. Adorno) in Rundfunkanstalten aufgezeichnet worden.
Fast alle von Canetti erhaltenen Aufnahmen zusammen in einer CD-Kassette: Berlin 2005, Verlag 2001

Uraufführungen der Dramen

1956, 6. 11. *Die Befristeten* als *The Numbered* durch die Playhouse Company Oxford

1965, 6. 2. *Komödie der Eitelkeit* im
  Staatstheater Braunschweig
1965, 3. 11. *Hochzeit* im Staatstheater
  Braunschweig

Literatur zu Leben und Werk Elias Canettis (Auswahl)

Bibliographien und Hilfsmittel

Bensel, Walter (Hg.): Elias Canetti.
  Eine Personalbibliographie. Bre-
  merhaven 1989
Dissinger, Dieter: Bibliographie zu
  Elias Canetti. In: Herbert G. Göpfert
  (Hg.): Canetti lesen. Erfahrungen
  mit seinen Büchern. München
  1975, S. 136–166
Witte, Bernd: Elias Canetti. In: Heinz
  Ludwig Arnold (Hg.): Kritisches
  Lexikon zur deutschsprachigen
  Gegenwartsliteratur. München
  1978 ff. [fortlaufende Lieferungen]
Pattillo-Hess, John (Hg.): Beiträge der
  Internationalen kulturanthropolo-
  gisch-philosophischen Canetti-
  Symposien. Wien 1988 ff.
Angelova, Penka, u. a. (Hg.): Schrif-
  tenreihe der Elias-Canetti-Gesellschaft / Internationale Elias-Canetti-
  Gesellschaft. St. Ingbert 1997 ff.
Naab, Karoline: Elias Canettis akustische Poetik. Mit einem Verzeichnis
  von Tondokumenten und einer Bibliographie der akustischen Literatur. Frankfurt a. M. 2003
Arnold, Heinz Ludwig (Hg.): Elias Canetti. TEXT + KRITIK 28. München
  1970, 4., erw. und veränd. Aufl. 2005

Biographien, Monographien, Ge-
samtdarstellungen, Materialienbän-
de, Aufsätze zu Lebensumständen

Atze, Marcel (Bearb.): «Ortlose Bot-
  schaft». Der Freundeskreis H. G.
  Adler, Elias Canetti und Franz Baermann Steiner im englischen Exil.
  Mit Beiträgen von Jeremy Adler

und Gerhard Hirschfeld […]. Mar-
  bach a. N. 1998 (= Marbacher Maga-
  zin 84 / 1998)
Barnouw, Dagmar: Elias Canetti.
  Stuttgart 1979
–: Elias Canetti zur Einführung.
  Hamburg 1996
Bischoff, Alfons M.: Elias Canetti.
  Stationen zum Werk. Bern u. a.
  1973 (= Europäische Hochschul-
  schriften, Reihe 1, Bd. 79)
Broch. Canetti. Jahnn. Willi Weis-
  mann und sein Verlag 1946–1954.
  Marbach a. N. 1985 (= Marbacher
  Magazin 33 / 1985)
Durzak, Manfred: Elias Canetti. In:
  Benno von Wiese (Hg.): Deutsche
  Dichter der Gegenwart. Ihr Leben
  und Werk. Berlin 1973, S. 195–209
Hackmüller, Rotraut: Begegnungen
  mit Canettis Wirklichkeit. Eine
  Spurensuche in Wien. In: Penka
  Angelova u. a. (Hg.): Schriftenreihe
  der Elias-Canetti-Gesellschaft /
  Internationale Elias-Canetti-Gesell-
  schaft. St. Ingbert 1997, S. 141–152
Hanuschek, Sven: Elias Canetti. Bio-
  graphie. München, Wien 2005
Kunisch, Hermann: Elias Canetti. In:
  Handbuch der deutschen Gegen-
  wartsliteratur. 2., verb. und erw.
  Aufl. München 1969, Band 1, S. 162
Petersen, Carol: Elias Canetti. Berlin
  1990
Piel, Edgar: Elias Canetti. München
  1984
Schickel, Joachim: Canettis Verwand-
  lungen. Romancier, Essayist, Dra-
  matiker. In: Der Monat, H. 188,
  1964, S. 66–71
Wachinger, Kristian (Hg.): Elias
  Canetti. Bilder aus seinem Leben.
  München, Wien 2005

Zu einzelnen Werken oder
Werkteilen

Barnouw, Dagmar: Masse, Macht und
  Tod im Werk Elias Canettis. In:
  Jahrbuch der deutschen Schiller-

gesellschaft. Stuttgart 1975,
S. 334–388

ollacher, Martin: Elias Canetti: *Die Blendung*. In: Deutsche Romane des 20. Jahrhunderts. Neue Interpretationen. Hg. von Paul Michael Lützeler. Königstein i. Ts. 1983, S. 237–254

orodatschjova, Olga: «Ich will, was ich war, werden.» Die autobiographische Trilogie von Elias Canetti. Hamburg 2002

issinger, Dieter: Vereinzelung und Massenwahn. Elias Canettis Roman *Die Blendung*. Bonn 1971

igler, Friederike: Das autobiographische Werk. Verwandlung, Identität, Machtausübung. Tübingen 1988

nzensberger, Hans Magnus: Elias Canetti *Die Blendung*. In: Der Spiegel 32, 7. 8. 1963

rdheim, Mario: Canetti und Freud als Leser von Schrebers «Denkwürdigkeiten eines Nervenkranken». In: Akzente 42,3, 1995, S. 232–252

eth, Hans: Canettis Dramen. Frankfurt a. M. 1980

scher, Ernst: Bemerkungen zu Elias Canettis *Masse und Macht*. In: Literatur und Kritik 7, 1966, S. 12–20

renier, Roger: La moustache de Nietzsche. In: Le Nouvel Observateur, 15. 6. 1966 (zu *Masse und Macht*)

ädecke, Wolfgang: Anmerkungen zu Ernst Fischers Aufsatz über Elias Canettis *Masse und Macht*. In: Literatur und Kritik 20, 1967, S. 599–609

esse, Hermann: Elias Canetti: *Die Blendung*. In: Neue Zürcher Zeitung (Literarische Beilage), 12. 1. 1936, S. 3

saacs, Jacob: An Assessment of Twentieth Century Literature. London 1951

rüger, Michael (Hg.): Einladung zur Verwandlung. Essays zu Elias Canettis *Masse und Macht*. München, Wien 1995

att, Peter von: Canetti über Kafka.

In: Schweizer Monatshefte 11, 1968/69, S. 1143–1136

–: Der phantastische Aphorismus bei Elias Canetti. In: Ders.: Das Schicksal der Phantasie. Studien zur deutschen Literatur. München, Wien 1994, S. 321–329

Moser, Manfred: Elias Canetti: *Die Blendung*. In: Literatur und Kritik 50, 1970, S. 591–609

Murdoch, Iris: Mass, Might and Myth. In: The Spectator 7, 9, 1962 (deutsch: Masse, Macht und Mythos. In: Wort in der Zeit, H. 1, 1963, S. 40–43)

Nora, Pierre: Un Tocqueville du vingtième siècle. In: La Quinzaine littéraire, 15. 4. 1966 (zu *Masse und Macht*)

Roberts, David: Kopf und Welt: Elias Canettis Roman *Die Blendung*. München, Wien 1975

Slonim, Marc: Elias Canetti: The Tower of Babel. In: The New York Book Review, 1. 3. 1964, S. 5 und 37

Strauß, Botho: Eine realistische Mystifikation. In: Theater heute, H. 4, 1970, S. 19 (zu *Hochzeit*)

Thoynbee, Philip: Elias Canetti: Auto da Fé. In: Horizon 1947, H. 85, S. 73

Zu wichtigen Themen

Améry, Jean: Begegnungen mit Elias Canetti. In: Merkur, H. 299, 1973, S. 292–295

Bienek, Horst: Die Zeit entläßt uns nicht. Rede auf den Preisträger. In: Mitteilungen aus dem Literaturarchiv Kulturpreis der Stadt Dortmund – Nelly-Sachs-Preis – bei der Stadt- und Landesbibliothek Dortmund 1975 (Heft 5), S. 12–21

Bollacher, Martin: Chaos und Verwandlung: Bemerkungen zu Elias Canettis ‹Poetik des Widerstands›. In: Euphorion 73, 2, 1979, S. 169–185

–: Vom Gewissen der Worte: Elias Canetti und die Verantwortung des

Dichters im Exil. In: Hans-Peter Bayerdörfer und Gunter E. Grimm (Hg.): Im Zeichen Hiobs. Jüdische Schriftsteller und deutsche Literatur im 20. Jahrhundert. Königstein i. Ts. 1985, S. 326–337

–: «[...] die Klarheit dessen, der durchsichtige Gläser schleift [...]» Eine Spinoza-Reminiszenz in Canettis autobiographischer Erzählung *Das Augenspiel*. In: Studia Spinozana, Bd. 5, 1989, Spinoza and Literature, S. 103–118

Elias Canetti im Gespräch mit Rudolf Hartung. In: Werner Koch (Hg.): Selbstanzeige. Schriftsteller im Gespräch. Frankfurt a. M. 1971, S. 27–38

Engelmann, Susanna: Babel – Bibel – Bibliothek. Canettis Aphorismen zur Sprache. Würzburg 1997 (= Epistemata: Reihe Literaturwissenschaft 191)

Frahm, Thomas: Die zu rettenden Zungen. Ein Grundstein für Europa: Zu Besuch in Elias Canettis bulgarischer Geburtsstadt. In: Frankfurter Allgemeine Zeitung, 23. 8. 2002, S. 35

Knoll, Heike: Das System Canetti. Zur Rekonstruktion eines Wirklichkeitsentwurfes. Stuttgart 1993

Konstantinov, Wenzeslav: Elias Canetti – Ein österreichischer Schriftsteller? Verwandlungen zwischen Rustschuk und Wien. In: Jura Soyfer: Internationale Zeitschrift für Kulturwissenschaften, 5. Jg., Nr. 3, 1996, S. 15–21. Auch in: http://liternet.bg/publish3/vkonstantinov/canetti.htm, 2003

Mack, Michael: Anthropology as Memory. Elias Canetti's and Franz Baermann Steiner's Responses to the Shoah. Tübingen 2001 (= Conditio Judaica 34)

Magris, Claudio: Das geblendete Ich. Das Bild des Menschen bei Elias Canetti. In: Colloquia Germanica 1974, S. 344–375

Meeuwen, Piet van: Elias Canetti und die bildende Kunst von Bruegel bis Goya. Frankfurt a. M. u. a. 1988 (= Europäische Hochschulschriften Reihe 1, Bd. 1041)

Meyer-Kalkus, Reinhart: Akustische Masken. Elias Canetti. In: Ders.: Stimme und Sprechkünste im 20. Jahrhundert. Berlin 2001, S. 318 ff.

Schedel, Angelika: Sozialismus und Psychoanalyse. Quellen von Veza Canettis literarischen Utopien. Im Anhang: Versuch einer biografischen Rekonstruktion. Würzburg 2002 (= Epistemata: Reihe Literaturwissenschaft 378)

Sebald, Winfried Georg: Kurzer Versuch über System und Systemkritik bei Elias Canetti. In: Etudes Germanique 39, 3, 1984, S. 268–275

Stieg, Gerald: Canetti und Nietzsche. In: Mark H. Gelber (Hg.): Von Franzos zu Canetti. Jüdische Autoren aus Österreich. Neue Studien. Tübingen 1966 (= Conditio Judaica 14), S. 345–355

–: Frucht des Feuers. Canetti, Doderer, Kraus und der Justizpalastbrand. Wien 1990

Sontag, Susan: Geist als Leidenschaft. In: Dies.: Im Zeichen des Saturn. München, Wien 1981, S. 183–203

Zand, Herbert: Stimmen unsere Maßstäbe noch? Versuch über Elias Canetti. In: Literatur und Kritik 21 1968, S. 31–37

Zymner, Rüdiger: «Namenlos» und «Unantastbar». Elias Canettis poetologisches Konzept. In: Deutsche Vierteljahrsschrift für Literaturwissenschaft und Geistesgeschichte, H. 3, 1995, S. 570–595

–: Canetti als Elias. Selbstdeutung im Lichte eines kulturellen Konzeptes. In: Klaus Grünwaldt und Harald Schroeter-Wittke (Hg.): Was suchst du hier, Elia? Ein hermeneutisches Arbeitsbuch. Rheinbach 1998 (= Hermeneutica 4)

wichtige Sammelwerke zu verschiedenen Themen und Werken (die Beiträge werden nicht einzeln aufgeführt)

Arnold, Heinz Ludwig (Hg.): Elias Canetti. TEXT + KRITIK 28: Elias Canetti. 1. Aufl. München 1970, 2. 1973, 3. 1982, 4. erw. und veränd. Aufl. 2005
Aspetsberger, Friedbert, und Gerald Stieg (Hg.): Blendung als Lebensform: Elias Canetti. Königstein i. Ts. 1985
Austriaca 11, 1980: Hommage à Elias Canetti
Bartsch, Kurt, und Gerhard Melzer (Hg.): Experte der Macht. Elias Canetti. Graz 1985
Durzak, Manfred (Hg.): Interpretationen zu Elias Canetti. Stuttgart 1983
Göpfert, Herbert G. (Hg.): Canetti lesen. Erfahrungen mit seinen Büchern. München, Wien 1975
Göllerer, Walter, und Norbert Miller (Hg.): Elias Canetti zu Ehren. In: Sprache im technischen Zeitalter 94, 1985
Hüter der Verwandlung. Beiträge zum Werk von Elias Canetti. München, Wien 1985
Kaszynski, Stefan H. (Hg.): Die Lesbarkeit der Welt. Elias Canettis Anthropologie und Poetik. Poznań 1984 (dasselbe unter dem Titel: Elias Canettis Anthropologie und Poetik. München, Wien 1984)
Modern Austrian Literature, Bd. 16, Nr. 3/4. Special Elias Canetti Issue. 1983
Neumann, Gerhard (Hg.): Canetti als Leser. Freiburg i. Br. 1996
Stieg, Gerald, und Jean-Marie Valentin (Hg.): «Ein Dichter braucht Ahnen». Elias Canetti und die europäische Tradition. Akten des Pariser Symposiums/Actes du Colloques de Paris 16.–18. 11. 1995. Bern u. a. 1997
Wortmasken. Texte zu Leben und Werk von Elias Canetti. München,

Wien 1995 [enthält zugleich einige kurze Texte Canettis, die bis dahin schwer aufzufinden waren]

Erinnerungen an Elias Canetti

Canetti, Jacques: On cherche jeune homme aimant la musique. Paris 1978
Fischer, Ernst: Erinnerungen und Reflexionen. Reinbek bei Hamburg 1969 (erneut Frankfurt a. M. 1994)
Kässens, Wend (Hg.): Paul Nizon. Die Erstausgaben der Gefühle. Journal 1961–1972. Frankfurt a. M. 2002
Mayenburg, Ruth von: Blaues Blut und rote Fahnen. Ein Leben unter vielen Namen. Wien, München, Zürich 1969
Mayer, Hans: Zeitgenossen. Erinnerung und Deutung. Frankfurt a. M. 1998
Neumann, Robert: Ein leichtes Leben. Bericht über mich selbst und Zeitgenossen. München 1963
Morlang, Werner (Hg.): Canetti in Zürich. Erinnerungen und Gespräche. München, Wien 2005
Ovadia, Susanne: Nachwort. In: Anna Sebastian (d. i. Friedl Benedikt): Das Monster. Roman. [...] Köln, Wien 2004, S. 319–328
Reich-Ranicki, Marcel: Mein Leben. Stuttgart 1999
Spiel, Hilde: Welche Welt ist meine Welt? Erinnerungen 1946–1989. Reinbek 1992

Sonstige wichtige Literatur

Amann, Klaus, und Albert Berger (Hg.): Österreichische Literatur der dreißiger Jahre. Ideologische Verhältnisse. Institutionelle Voraussetzungen. Fallstudien. Wien u. a. 1985
Conradi, Peter: Iris Murdoch. A Life. London 2001 [deutsch: Iris

Murdoch: ein Leben. Frankfurt a. M. 2004]

Leroy, Béatrix: Die Sephardim. Geschichte des iberischen Judentums. München 1987

Pross, Steffen: «In London treffen wir uns wieder.» Vier Spaziergänge durch ein vergessenes Kapitel deutscher Kulturgeschichte nach 1933. Berlin 2000

Sebald, Winfried Georg: Die Ausgewanderten. Frankfurt a. M. 2001

Über den Autor

Dr. Helmut Göbel, 1939 in Breslau geboren, von 1945 an in Bayern aufgewachsen. Studium der Deutschen Philologie, Geschichte und Philosophie in München und in Münster/Westfalen. Promotion mit einer Arbeit zu Lessings Sprache. Lehrt seit 1968 im Bereich der Neueren Deutschen Literatur an der Universität Göttingen, zwischendurch auch an den Universitäten von Genf und Kaliningrad sowie an der University of Illinois at Urbana-Champaign/USA.

Wissenschaftliche Arbeiten zu Gryphius, Lessing, E. T. A. Hoffmann, zur Literatur des 20. Jahrhunderts, besonders zu Elias und Veza Canetti. Herausgeber u. a. einiger Anthologien.